ちくま文庫

ミステリー食事学

日影丈吉

筑摩書房

目次

V　ミステリーの季節　271

ミステリー食事学

本作品は一九七二年～一九七四年に「ミステリ食事学」として「ミステリマガジン」（早川書房）にて連載され、一九七四年に牧神社より『味覚幻想――ミステリー文学とガストロノミー』として単行本化、一九八一年に社会思想社より『ミステリー食事学』（現代教養文庫）として文庫化されました。本ちくま文庫版の底本には原則として現代教養文庫版を使用しています。また、今回の刊行にあたっては本書解説者および編集部による若干の傍注及びルビを必要に応じて追加し、明らかに誤字・誤記と思われる箇所については修正を加えています。

本文中には今日の人権意識に照らし合わせて不適切な表現・語句がありますが、時代的背景及び作品の文学的価値を鑑み、また著者が故人であることからそのままとしました。

I　女性と犯罪

女と毒薬

飲食と推理小説

「いったい飲食と推理小説と、どんな関係があるのか」——前に、ある女子大の同窓会で、たのまれて講演したことがある。推理小説の話は受けそうもないから、「人類は発生当初、何を食っていたか」てなことを話した。昼食のあとだったから、まだよかったが、話はしぜん悪食の方へむいてゆく。のみ、しらみ、蛆むしまで食う話。エスキモーは馴鹿《となかい》を殺して、胃の中に残っているツンドラの苔《リケン》を食い、ビタミンCを補給する。北極探険のアムンゼンも、ためしに食ってみて、なかなかイケルといった、などと話が進んでくると、いちばん前に坐っていた物がたそうな賢夫人らしい小母さんの、両方の眼玉が、きゅーッとまんなかに寄って来たので、講演者の方があわててしまった。

話が終って、型どおり、何かご質問は——というと、講演の内容とは関係のない冒頭の質問が飛びだした。はぐらかされた感じだ。ちきしょうめ！　あいては魔女の集会だった！ 関係があるといえばあるし、ないといえばない。名探偵も大悪漢も、一週間も物を食わなかったら、追いつ追われつどころじゃない。サム・スペード以下のタフな私立探偵《プライベート・アイ》だって、ふわふわになって、へたばってしまう。

ところが、かれらが何を食い、夜はどんなものを着て寝るか、そんなことには全然、触れなくても、じゅうぶん推理小説は書ける。ということは日本の模範的な推理小説を読めば、よくわかるはずだ。だが、その講演のときには、もちろん、こんなことはいわなかった。「そうですね、まあ特色とでもいえるのは、毒殺なんかですかな」と、私は落ちつきはらって、お答え申しあげた。

伝説の毒薬

毒殺といっても毒物の種類や、それを使う方法が、いろいろあって、時代によって特定の傾向もある。つまり流行があるわけだ。むかしはだいたい動物や植物からとった毒を使ったが、近代になると鉱物毒が使われるようになる。むかしの方が、どちらかというとロマンチックで、工業用劇物を使う現代の方がリアリスチックだ、といえるかも知れない。中国の史書や日本の実録物などで有名、というよりもむしろ専売特許みたいなのは、鴆《ちん》毒と斑猫《はんみょう》の毒だ。

特に鴆の方は舶来品で高級なのかも知れないが、お家騒動などによく出てくる。大名専門だ。鴆の羽を酒にひたし、その酒を飲ませるというのだが、鴆というのは実在のどんな鳥か、私は知らない。斑猫はきれいな昆虫で、毒のあるのは、ふつうの斑猫でなく、大豆の葉につくので豆斑猫という種類だ。この方は江戸時代の物語でも、町人が使う。

明治の毒婦伝に「艶嬢毒蛇《いろむすめどくじゃ》の淵《ふち》」というのがある。主人公は斑猫お初という、かくし売女。銀座のガス灯の点灯夫が、この女に惚れたりする。お初は七十両で斑猫を買ったというから、これも高価なものだったわけだが、この話そのものが、あまりあてにならない。この本に、なんのつもりか、スポッテン・キャットという英訳（?）がつけてあるのも愉快である。

鰒《ふぐ》や毒茸《どくきのこ》の方が、むかしからもっと一般に知られていて、中毒の実例も無数にある。だが、殺人にはあまり使われていない。毒茸を使う話はあるはずだが、鰒の方は食べたことのない人は、こわがる魚だから、姿のままで食べさせるのは、むずかしい。つまり、この魚からテトロドトキシンを抽出する方法を、昔は知らなかったわけだ。すると斑猫の有効成分なども、どうやってとりだしたのか。どうも伝説的な色彩の方が強いようだ。ヨーロッパにも、絞首台の下に生えたマンドラゴールなんていう伝説的な毒物があるし、ベラドンナなど、実在の植物だが原種が西アジア産だけに、神秘的な幻想がつきまとう。古い推理小説には、よく出てくる。

シーザーと毒茸

毒茸の方は古代ローマの歴史に登場する。ローマ人は茸の類が好きで、いまの培養マシュルームも既にあったようだが、なかでも特に天狗茸属のアマニテスを賞味した。ところが、この類には有毒のが混っていて、ちょっと見分けがつかない。これを食うには鰒好き以上の勇気と無鉄砲が、必要だったわけだ。あやまって毒茸の方を食って死んだローマのきのこ仲間がかなり多い。クローディウス皇帝も、その一人だが、これは過失死ではなくて、彼の実の姪で皇后のアグリッピナに毒殺されたのである。

クローディウスは実子のブリタニクスを追払って、アグリッピナの連れっ子のネロを、後継者にしたくらいだから、よほど若い女房にイカレていたらしい。おかげで、ラシーヌの傑作「ブリタニクス」も生れたし、この毒茸にも「皇帝《カエサル》の天狗茸」という、けっこうな異名がついたわけだ。ただし、食べられる方の天狗茸を「皇帝たちのアマニテス」と呼んでいる学者もある。この方は茸の王さまというような意味だろう。アマニチンはこの有毒菌からとった毒物だ。

フランス料理で珍重される松露《しょうろ》の類のトリュフ（英トラフル）も、当時から知られていた。トリュフの類でも食用として賞味されるのは、黒トリュフだが、ローマ時代には、エジプトの黒トリュフとキレナイカの白トリュフ、それにトラキア産の種類が有名だった。おもしろいことにローマ人は、トリュフは雷が落っこちて出来るものだと信じていたらしい。かれらはこれを生《なま》で食ったり、あみ焼きや、粉をこねた生地《きじ》でくるんで蒸焼きにしたりして食べていたようだ。

毒の飲ませ方

毒物の与え方にも、いろいろ段階がある。ふつうは飲み物に混ぜるとか、薬包紙の中身をすりかえておき水で飲ませるなどだが、直接、毒を口の中に投入する方法は、ふつうの状態では、ちょっと無理だろう。これをやったのは江戸川乱歩の「屋根裏の散歩者」で、天井の節穴から、眠っている男の口の中に毒液を落下させる、という皆さんご存じのやつだ。大乱歩にして、はじめて思いつく奇想天外さだが、成功の確率の方は、たいへん怪しい。乱歩さんは、たしか生涯に二、三度、蓄膿症の手術をしている。だから上をむいて、口をあけて寝る癖があっただろう。被害者のそういう習性をしらべ、天井裏を歩きながら適当な穴をさがす犯人の、期待でぞくぞくする心理が、おもしろい。

このアイデアの原型みたいなもので、もっと奇抜なのに、「ハムレット」の劇中劇の場面で、眠れる王の耳に毒汁を流しこむところがある。耳の孔はいつもあけっぱなしだから確率もこの方がいいだろうが、古典的な飲む毒だと実際にきくかどうか、腐蝕毒を使えば、もっと有効で凄味もきく。とにかくこれは、ひどくこわい。

実際に使われる毒物は、欧米の学術的な作家が好むような凝ったものじゃなく、市販で手に入りやすく、お値段も手頃な、医療用や工業用の薬品だ。十九世紀から二十世紀のはじめにかけて、ヨーロッパでも日本でも砒素（亜砒酸）が流行した。日本では「石見《いわみ》銀山鼠とり、いたずらっ子はいないかな」というやつ。砒素は中毒症状が非常にはっきりしていて、使ったことがすぐわかる。だから、ヨーロッパでは阿呆の毒と呼ばれた。日本で昭和のはじめに、よく自殺に使われたカルモチン。フランスで流《は》行《や》ったヨヒンビン自殺。こういう簡単に自殺に使える薬品は、人殺しにも使いやすいし、自殺偽装にも便利である。

心臓病で精神安定剤を持薬に用いている人に、それを多量に飲ませるとか、医師の投薬と別の薬をすりかえておくとか、病死または事故死をよそおう方法は、欧米の推理小説には枚挙にいとまないほど出てくるから、読者はよくご存じのはずだが、こういう方法は、やはりどうも女性的である。史上に有名な毒殺者にも女性が多い。だが、むこうの話も日本の毒婦伝なみに、真偽のほどは、はっきりしない。

ルイ王朝の毒

ちかごろテレビで引っぱり凧の霊感師という存在は、たいがい若い娘さんだが、あれがぐんと老けて相好《そうごう》も崩れかけたような老婆が、フランスでは王朝時代ごろまで、パリの裏街などに住んでいて、怪しげな媚薬や劇薬をこさえ、食いぶちをかせいでいたらしい。ルイ十四世の弟オルレアン大公の最初の妃は、イギリス王チャールズ一世の娘、アンリエット・ダングルテールだが、この人が急死した。ところが死因に毒殺の疑いがある。そこで最初の警視総監といった格の、ラ・レイニーに命じて捜査させると、王の寵姫モンテスパン侯爵夫人の名が浮かんで来た。そのうえ多くの、やんごとない人達にまで累が及びそうになって来たので、ルイ十四世は、あわてて捜査を打ち切らせ、事件をうやむやにしてしまった。裁判で有罪になり処刑されたのは、ブランビリエ侯爵夫人と、二人の産婆だけだった。フランス史上有名な怪事件だが、この産婆たちは怪しげな薬の調合者で、実際に、この事件に関係があったかどうかはわからないが、迷信的な魔女の衣を着せて処罰するには、都合のいい人物だったわけだ。

モンテスパンやブランビリエも、その後の物語の中では、たいへんなエロ・グロの黒ミサの主宰者にされ、ブランビリエなどは毒殺のベテランになっている。毒物の飲ませ方は、劇や小説でも、酒などに混ぜるのが、いちばん多いようだが、特に十七世紀の後半に混合飲料のリキュール酒が流行しだしてから、こういう方法が幻想の世界でも、安心してさかんに用いられるようになったのだと思う。

だが、料理に混ぜて使うというのは、推理小説にも案外すくないようだ。いま思いつくもので、なかなか巧妙だと思うのは、「シャーロック・ホームズの思い出」の中では、かなり長い短篇「シルバー・ブレーズ号」で、鴉片《あへん》のにおいを消すために、その粉末を羊料理のカレー・ソースの中に混ぜて食わせる話。これは直接、殺人に用いたのではなかったようだ。これと同工の技法で、もっとうまいのは、クリスティーの例のミス・マープル探偵シリーズの短篇に、ストリキニーネの苦味を感じさせないため、オブラートに包んで、殻つきの生がきの身の下に、そっと滑りこませておくという趣向。どちらも直接、手をくだしたのは女性である。ほかにまだ、いくつか例があるはずだから、こういう詮索の好きな読者は、ご自分でしらべてみるといい。

細菌弾なんてのも毒物だが、こんなものが、あっちこっちに運ばれたり、へどろだ光化学だなんてことになっては、うそ寒い索漠さだけで、探偵趣味どころじゃない。蓄積毒の、そくそくと迫る恐怖なんてのが、まだるっこい話だが小説的だ。

私達が毎日、飲んでいる紅茶やコーヒーさえ、はじめてヨーロッパに持ちこまれたときには、人類の健康をむしばむものとして、医学者や識者の警戒の対象だったのである。

オーストリアの元帥で、フランス語で著述をしたので有名なリーニュ公の「備忘録《メモワール》」の中に、次のようなことが書いてあり、この稿にも多少の関係があるから、最後に紹介しておこう。

「ある医師で思想家の人物から聞いた話だが、北国のどこだったたか、もう忘れたけれども、そこで二種類の毒物、茶とコーヒーの害をしらべるために、二人の死刑囚に死一等を減じるという条件で、日に三回これを与えるという、恐るべき実験に耐えることを承認させた。実験の結果わかったのは、茶の服用を続けた者が七十九歳で死に、もう一人は八十歳で死んだ、ということである」

凶器としての食品

毒蛇考

前項では毒殺と料理の関係について、お話した。この場合は、もちろん口からはいる毒だ。しかし毒を飲ませるには、なかなか辛抱がいるらしい。被害者が吐いてしまったりすれば、それきりである。ごていねいに睡眠薬を飲ませて、川にほうりこんだら、水中でもがいて多量の水を飲んだために、かえって助かっちゃった例は実際にもあるし、推理小説にも扱われている。

そこへ行くと静脈注射などは、もっと効果的だ。注射によるコロシは、人間よりも、毒蛇や毒ぐも、さそりなどの有毒動物の方が先輩である。

くも類で毒のあるのはインドやアメリカのタランチュラぐらいで、非常にすくない。大型動物を、たおせるほどの威力があるかという点でも、信憑性のある資料に乏しい。さそりなども実際には、どの程度の毒を持っているのか、よくわからない。かれらは形が、ひどく悪いから、心理的な被害の方が強いようにも思える。

まむしなどにも、同じような疑問が持てる。数年前、福島県だったか、団体旅行のバスの車掌さんが、草むらへ、たしか生理的要求をたしに行って、（そうでなかったら、ごめんなさい）まむしに咬まれて死んだ。私の記憶に間違いがなければ、死因は心臓麻痺かなにかだった。だが、まむしの毒にやられたのか、それとも恐怖のせいか、判定は簡単ではないだろう。

毒蛇の種類は実に多い。私は台湾にしばらくいたが、あそこは蝶の種類の多いので有名だが、毒蛇の繁殖にも適地らしい。はだしで山の中を歩く蕃人が、かかとを咬まれて死んだ、という話をよく聞いた。

毒蛇の中でも、特にこわいのはハブだ。樹の枝などに巻きついていて、ふいに頭上から襲ってくる。やはり戦後のことだが、東京の下町の蛇屋で、こいつが逃げだし、天井にひそんでいて、うらみ重なる蛇屋の息子の頭に咬みついて死亡させた。

コブラやハブは台湾にもいるが、軍司令部からくる回覧の資料写真で、獰猛なかっこうを見ただけで、さいわい私は現物には出っくわさなかった。だが、草ハブだの雨傘蛇、八歩蛇なんてのは、いくらも見た。こんなのは足ごしらえを厳重にしていれば心配ない。それどころか敵さん、うっかり兵舎の庭にでも姿をあらわすと、兵隊達は眼の色を変えて追っかけまわし、たちまち運動会みたいなさわぎになる。もちろん、つかまえて食うためだ。猛獣毒蛇も兵隊野郎の食欲には、とてもかなわない」。同じ有毒動物でも、鰒などと違って、毒蛇は食ってもあたらない。蛇の毒嚢は唾液腺のそばにあって、牙の細孔を通じて注射される。食われると、あたるわけだ。

毒蛇を使った推理小説は、かなりあるはずだが、「シャーロック・ホームズの冒険」の中の、有名な「まだらの紐」など、やはり傑作である。インドの沼沢地から持って来た猛悪なやつが、イングランドの田舎の古い屋敷の中を「薬罐の口から湯気が吹き出すような音」を立てて蛇行する。

だが、毒蛇を殺人に使うのも、かなり根気のいる仕事らしい。蛇の方にも腹ぐあいなど、いろいろ事情があって、いつでも人間に咬みつくとは限らない。それに東京コミック・ショーのインチキ・コブラみたいに、わき毛で育ててくれた親方に従順じゃないから、この沼蛇も最後に、加害者の方を殺ってしまう。

毒蛇でない、ただの蛇でも、くもやさそりのように、特に女性に対しては心理的な凶器になる。むかしの実録物などで、有名な蛇責めという刑罰。仮名垣魯文の加賀騒動「金沢実記」では、なんとかいうご愛妾が磨鉢山の谷底に落とされ、無数の蛇が投げこまれる。蛇は女体に絡みつき、穴という穴にもぐりこもうとする、というのだから、その実状をご想像ねがいたい。もっとも実録だの実記だのといっても、ほとんど作り物だ。

戦前、浅草広小路の片側、雷門から田原町までのあいだに、日が暮れると屋台の食い物屋が並んだ。そのひとつの、正面の暖簾《のれん》からでなく、天幕の隙から首を突っこんで、小さなウイスキー・グラスに入れたピンク色の、泡のある液体を、こっそり飲んでゆく男がいた。絞りたての血である。三枚におろした透きとおるように白い身を、ぺろりと食ってゆくこともある。この屋台はもちろん蛇を食わせる店ではない、どういう径路で手に入れるのか知らないが、屋台の主人と蛇食い客とのあいだに、契約が成立していることは、たしかだった。

市内の蛇屋で売る蛇は、かなり高いものののはずだから、これを精力剤として食うのには、特殊な目的があったのだろう。だが、蛇の多い地方では昔から、ふつうに蛇が食われていたと考えられる。無毒の青大将などは、日本の山村でも鼠をとるために飼っていたところがあるし、アメリカ・インデアンその他、蛇をペットとして飼う未開民族は、かなりある。

ヨーロッパでは中世から「森の鰻」と称して食われていた。フランスにたくさんいる、まむしの類のヴィペールも、しかもルイ王朝の貴婦人達《プレシウーズ》が食っている。さすがに日本の兵隊みたいに蒲焼にしたりはしないが、十七世紀の女流文学者で、日本によく知られているラファイエット夫人は、精力剤として毎日まむしのブイヨンを飲んでいた。「書簡集」で有名なセヴィニェ夫人は、ポワトゥーから大量に送らせて、毎日二匹ずつ食べ、自分が健康を享受していられるのは、まむしのおかげだと書いている。彼女の手紙によると、まむしを磨り身にして若鶏の肉にスタッフしたものを、料理させていたようだ。

天意の毒

毒蛇のように直接、毒を与えるのではないが、病気の動物が間接的に病原菌やビールスを運ぶ場合もある。マラリアの蚊、恐水病の犬などだ。後者は二重人格のケースに似ているため、古い推理小説には、よく使われた。

動物による毒や病気の伝達という点で、おもしろいのは蜜蜂である。蜜蜂を使った推理ものは、いくつかある。蜜蜂を飼うには、かなり遠距離の集団移動をやらせるから、この蜂の習性を利用した構想が眼につく。

ところで、蜂に刺されると腫れる。だから多少の毒性があるのかも知れないが、おもしろいというのは蜂固有の毒のことではない。蜂を飼うのは、もちろん蜜をとるためだが、蜂蜜が蜂に集めさせた野草の花の蜜であることは誰でも知っているだろう。

純粋な蜂蜜には、蜜を採取した花のかおりが強く残っているものだ。果樹の花の場合は、果実のにおいとも、まったく同じである。私が台湾の嘉義附近の養蜂者のところで食べたものは、竜眼の花で蜂を飼っていることがすぐわかった。竜眼肉のにおいと同じだったからだ。

ヨーロッパ人が砂糖を知ったのは、十字軍の遠征のころで、それ以前の甘味料は蜂蜜と樹脂ぐらいなものだった。ギリシアでは砂糖黍の栽培もやってはいたのだが、医療用の糖蜜を採る程度で、一般に使われるのは蜂蜜だけだった。アテナイ市の南にあるヒメット山の蜂蜜が、最高品とされていた。この山は、いまでも養蜂と大理石の採掘で知られているが、ここに多い紫蘇科植物の花のかおりが好まれたわけだ。つまり、はっか、タイム、特にメリサなどで、このメリサは「蜂の葉」といわれるくらい蜂が好む、葉にはレモンのかおりがある。これはみんな料理に使われる香草である。

ところが蜂は、別に人間のために蜜を集めているわけじゃない。集めたのを搾取されてるのだから、ときには毒草(特に茄子《なす》科植物)から蜜を採って来ても、知っちゃいない。これが蜂を馴らす人達には、頭痛の種だ。

ソクラテスの弟子で、歴史家のクセノフォンの、「アナバシス」は、ペルシアの王子キュロスが兄のアルタクセルクセスに逆《そむ》いて起こした戦争のいきさつを書いたものだが、その中に蜂蜜中毒のくだりがある。

「ある村で蜂蜜を食った兵士達は錯乱、嘔吐、下痢を起こし、たれ一人その場に立っていられなかった。すこし食った者は酔いどれのように、たらふく食った者は狂暴になるか、または息も絶えだえであった。死んだ者はない。三日目か四日目に、兵士達はやっと起きあがれるようになったが、ひどい下痢のあとで、げっそりしていた」

この症状では、かならず視力の障碍が起こるそうだが、クセノフォンは、そこまでは書いてない。

ハムの名はハム

実をいうと私は、食物が、口からはいる毒ばかりでなく、外から使われる凶器としての役割りを、考えてみたかった。この蜂蜜毒を推理小説に使った例が、あるかどうか私は知らない。が、もしあるとすれば、蜂はそれを媒介する天然の生きた凶器と、見られないこともなさそうだ。毒蛇の場合は、実際に食う者がいても一般食品のリストには入れにくいから、凶器としての食品というのは、すこし無理だろう。

してみると、純粋にそう呼べて、乱歩好みの「奇妙な凶器」の中に分類できるものは、ダールの短篇「おとなしい凶器」のように子羊の骨つき肉で撲殺する話などぐらいなものだろうか。これはハムを使ったほうがもっと効果的だと思うが、とにかくこの例は非常にすくないに違いない。だが、ロールハムしか知らない人には、ハムが重量のある鈍器として殺人に使えるということは、理解しにくいだろう。ハムはフランスではジャンボンという、豚の股《もも》だ。これをまるごと塩漬けにしたのが、本来のハムで、中に太い脚の骨が通っている。これを食べないと、ほんとうのハムの味、ハムの感触はわからない。

豚肉は生では、ほとんど高級料理には使われないが、ハムのような製品としては、よく使う。食事のコースでは、焼肉やローストチキンのあとに出る。つまり、サラダと重なるわけだ。ちかごろはコースが簡素化されたので、特に冷肉の場を設けなくなったが、一品料理のハムサラダ、チキンサラダなどというのが、その名残りだと思っていい。

ハムの塩蔵法を発明したのは、フランス人の先祖のゴール人だ。ローマ人は、このローマの外州のひとつのガリアの蕃族から、その製法を教わった。大きな塩漬けの桶は、奇怪な幻想を生みだすのに適しているのか、その中に、入れられた子供達を、何年もたってから聖ニコラが、もとの姿で助け出すというような、子供をこわがらせる、うす気味わるい伝説も残っている。第一次大戦後にベルリンで、人肉のハムをこさえて売った男が、製品にまじっていた女の性毛から足がついて、死刑になったという実話もある。

料理場の凶器

凶器としての食品について、稀少な場合をお話したが、調味料なども一種の武器になる。唐がらし粉を捕物に使った実例もあるようだが、唐がらしや胡椒などは催涙弾や、くしゃみガスの元祖というわけだ。ひと頃アメリカで痴漢よけに、稀塩酸か何か入れた水鉄砲の携行を、若い女性に奨励したことがあるが、便所の金かくしと間違えられては、犯人もたまらない。もっとおだやかに玉ねぎのおろし汁などを使っても、相当な効果があるはずだ。

料理用具の方ではまた凶器になるものが多い。とぎすました庖丁は実際に、日本刀などよりも、よく切れる。最近、刺身庖丁を持って、アパートに押入った強盗がいた。ぎとぎとした刺身庖丁は見ただけで、こわい。まぐろの中骨を、ぐさッと断ちきる出刃庖丁。中国料理の幅びろ分厚《ぶあつ》なやつは、ダイエートやりすぎのツイギー[*1]型流行歌手の細首ぐらい、ばっさり叩き落とせそうだ。

アルフレッド・ヒチコックの快作「泥棒成金」では——ダッジの原作にはないだろ

うが——コックに身をやつした泥棒団の一味が、フールシュをにぎって主人公に迫る。フールシュはグリルの上で焼肉をひっくり返す二股の肉刺で、この縮小形のフールシエットは、テーブルで使うフォークだ。

フォークを使いだしたのは、イタリアがはじめて、十六世紀のおわり頃からだろうが、もちろんフールシュを華奢につくって、テーブル用具にしたもので、当時のフォークの、いま残っているのを見ると、形は二股でフールシュそのままである。

どういうわけか日本人には、いまだにナイフやフォークを、おっくうがる人が多い。こないだ観光会社の職員らしい人が、テレビでいっていたが、その人はヨーロッパに行くとき箸を携行して、レストランなどで、それを使うそうだ。めずらしがられて人気者になるという。たぶん、その人はナイフ・フォークを敬遠する旅客が多いのにこまって、箸の使用を率先実行してみたのだろうが、ステーキなどは、どうやって食べるのか、きいてみたかった。

ボーイさんに切ってもらうほかないだろう。チップを張込まなきゃならないが、一人や二人なら、それもいい。だが多人数の団体旅行などの場合は、混乱をまねくこと眼に見えるようだ。それに人気者どころか、農協のおばさまなどが、そろって箸を動かしているところは、外国では、さぞ奇観を呈することだろう。

麺棒はスラプスチックコメディの、山の神の凶器だった。

デレッキというものがある。料理用ストーブの蛇の目（上面の火口）の蓋をとったり、オーヴンの天板の出し入れに使う、先のまがった鉄棒で、ステッキぐらいの大きさがある。石炭ストーブ時代には火かき棒にも使われた。（設備の進んだ後進国の日本では、もう石炭は使われなくなったが、設備の遅れた先進国のフランスやイギリスではまだ使われている）戦前、私が丸の内の某レストランで指導していたとき、そこのコック同士が喧嘩をして、このデレッキで一人が殴られ、即死するという事件があった。

スケッパーというのは、肉片を叩いて筋を切ったり、髄をとるために骨を叩き割ったりするへら形の鈍器で、手頃な柄がついている。とにかく料理場には、おっかない道具がそろっていて、肉や野菜にでなく、人間あいてに使用すれば、かっこうな凶器になるものが多い。

＊1　一般にツイッギーと表記される。小枝を意味する愛称をもつイギリスのモデル。一九六七年に来日、その痩身と脚線美は日本女性の憧れとなり、ミニスカートを流行させもした。

料理残虐考

殺人と食欲

炎天の畑地を一人の、なま若い男が左右から腕をとられ引立てられてゆく。男の顔には汗といっしょに、恐怖と疑惑が愚かしい薄笑いになって浮かんでいる。そこへ権力者のお出ましだ。眼の前には青黒いエーゲ海。男はほかの島の人間で、戦利品の奴隷らしい。何をされるのかと見ていると、いきなり首を斬落とされ、手足もばらばらに切断されて、畑に投げ出される。

ご存じパゾリーニ「メデア」の冒頭のシーンだが、のっけから刺戟的でびっくりした人が多い。私はオヌシヤルナと思った程度だった。これは、どこの国の原始民族にもある農耕儀式で、イギリスの有名な社会人類学者、フレイザー卿の「ゴールドン・バウ」なんかには、もっとひどい例が、スーパーマーケットの売物になるほど並んでいるからだ。

妙齢の少女を畑のまん中の杭に縛りつけて、弓矢で射殺し、酋長が心臓を取出してむさぼり食う。まだ温い死体を、ばらばらにして血をすすりあう、残りは手分けして畑に撒き散らし、豊作を祈る。こういう年中行事が、アメリカ・インデアンなどにも、かなり近くまで残っていた。

だいたい原始生活には、食糧難はつきものだったから、たまには人間も食った。いまから、ほぼ五十万年前のネアンデルタールや、同時代に中部日本にいた原人も、食人の痕跡を残している。初期農耕時代になっても、新らしい希望はできたが、食糧の不安は克服できない。インデアンの人身御供も、その危機を避けるために、呪術師が考えだした儀式だから、食う動作がともなうのは当然かも知れない。さすがに同じ種族から犠牲をえらぶのは控え目だったが、そのかわり他種族に対しては、ひどく狂暴になり、その凶暴さが正当で神聖なものになる。飢えに迫られて他種族に攻撃をかけ、その肉を食う。

それも遠い昔のことかと思っていたら、数年前、ニューギニアで同様の事件が起こった。腹がすくと、おこりっぽくなる、というが、まさか遺伝じゃないだろうね。

人食いと豚食い

「殺してもあきたりない」は、ダンナの浮気を発見した妻君の心理ばかりじゃない。

中国の戦国時代、ある君主は、捕虜になって連れてこられた敵国の王を殺して、肉をなますにし、血をひしおにして貯蔵し、これを酒の肴にして、気長に恨みを晴らしたと、むこうの本に書いてある。一度、味をしめたら、忘れられないんじゃないかという者もあるが、これは小説的発想のようだ。だいいち、そう簡単に人間が食えるもんじゃない。

中国では、肉といえば豚肉のことで、そのくらい豚をよく食う。かれらにいわせると、豚肉は肉類の中で、いちばん人間の肉に、質がちかい。したがって消化吸収も、いちばんいいそうだ。これと同じことを、ギリシアの医聖ヒポクラテスに次ぐ大医学者といわれる、ガレノースもいっているから不思議みたいだが、彼の時代のローマでは、やはり豚肉が最も好まれた。おそらく東西豚食いの風俗が、こういう学説を生みだしたのだろう。

むかしの中国人は、けっこう人肉通みたいなことを、いっている。人間の肉では、色の黒い若い女のが、最上だというのだ。これは一種の通説になっていたとみえて、饑饉や戦争が起こると、色の黒い若い女はまっさきに姿をかくしたという。そう聞くと、なんとなくもっともらしいようだが、それほど人間の肉を食いわけられる機会が、かれらにはあったのだろうか。この説はいったい、どんなところから出て来たのだろう。

豚でも牛でも鶏でも、ふつう牝の肉が上位におかれる。中国の豚は、日本で飼育されているヨークシャ種などと違って、黒い毛が密生している黒豚だ。それに中国人は鶏でも家鴨《あひる》でも、黒いのを賞美する。台北市の郊外の村の農家で晩飯の招待を受けたことがある。そこの主人が鶏料理の皿を指さして、「これはどんな色をした鶏か、わかるか」と、きく。わからないと答えると、「黒い地鶏だ。あなたに食べさせるために、特に黒いのをえらんだ」といった。俗に蕃家鴨という黒い家鴨がいる。こいつは水の中で、ながながと交尾をやるので、兵隊には人気があった。家鴨では、あれがいちばんうまい、と主人はいった。

こういったことから綜合して、かれらが、もし人間を食わなければならなくなったら、やはり色の黒い若い女を捜すだろうと、私は結論する。色黒女《いろぐろおんな》美味説も、そんなところから出たので、まさかイロイロ試シテミマシタガって[*2]、わけでもあるまい。

＊2　一九六八年ごろ落語家の桂米丸が出演していたテレビCMのフレーズ「いろいろ食べてみました。やっぱり長崎タンメン」を踏まえたと思われる。長崎タンメンは、サッポロ一番に先だってサンヨー食品が販売していた即席麵。

バババ食ったジジイ

人肉食いは人間の、追いつめられ、せっぱつまった状況でおこなわれた。江戸時代の東北饑饉のような、どん底の飢餓。でなければ、不治の病いから救われようという願望。明治の有名な「臀肉斬り事件」などが、それだ。私の家にいた爺やは肺結核で、中年になってから何度も喀血した。ストマイが使われだした戦後の人には、理解しにくいだろうが、むかしの結核への恐怖は、いまの癌以上かも知れない。私の父が死んだとき、爺やは父の脳味噌をもらって食った、という話を誰かに聞かされて、無気味に思った記憶がある。

人間の脳味噌は結核に効く、といわれていたのだが、それを、どういう方法で食うのか知りたがるほど、私は好奇心の強い子供だった。爺やは、「味噌煮にして、いただいたんですよ」と答えた。それが効いたのかどうか、この爺やは九十歳ちかくまで生きた。だが、そんな事実はなくて、誰かが子供の私を、からかったんだってこと、爺やがいったのも下手なシャレだってことが、わかったのは、大人になってからである。

飢餓や難病のほかに、知らずに食わされるというのがある。さっきの豚肉と人肉が似ているという説だが、前項にもちょっと触れた人肉ハムの実話が、多少その実証になるかも知れない。第一次大戦後、豚肉加工の材料不足につけこんだ男がやった、いわゆる変質的犯罪で、犠牲者は女ばかりだが、人肉は女の方がうまい、という知識を持っていたわけでもあるまい、男は殺すのが、むずかしかったからだろう。とにかく、この人肉ハムはしばらくベルリン市内に出廻っていた。買った人は、気がつかずに食っていたわけだ。

「カチカチ山」の狸が叫ぶ。「ババ食ったジジや、椽《えん》の下の骨見ろ。」いかにも無気味なケースで、しかも食わされる方は間がぬけているから、ブラック・ユーモアのネタには持ってこいだ。こういう話は、はっきり書いては、おもしろくないが、そのコツを十二分に活かした佳作に、ダンセニの「二壜のソース」がある。エリンの「特別料理」もいい。どちらも、あなたはもう、お読みになっていると思う。

人間、この罪ふかいもの

残酷な食い物といえば、やはり人肉ってことになるが、もうひとつ、料理法の残酷さということが考えられる。だいたい生き物を殺すには、どうしても残酷感がともなう。鰻に目打ちを打って、庖丁で、さッと割《さ》く。形が小さいのと、あッという間にすんでしまうから、テレビのCMにまで使われているが、お彼岸の日などには、やめた方がいい。これが鶏を絞める、さらに牛や豚になると、ふつうの神経ではむずかしい。鶏の場合にも、絞めるのと、首を切って血抜きにしたのでは、肉の色も違っているし、料理法の範囲も別になる。豚などは前から屠殺場でやっていたのは撲殺で、眉間の急所に一撃を喰わす。中国では逆吊りにして頸を切り、そこから血を流出させて採血する。戦争中、私の部隊では現地自給の方針で豚も飼ったが、豚はよく人に馴れるので、荒くれ男の兵隊も、さすがに、これは嫌がる。屠殺は現地人にたのんでいた。フランスでクリスマスに不可欠のブーダン・ノワール(血の腸詰)を造るときも、この方法を用いていた。

ところで、人食いと残酷な料理と、どっちが、ひどいか。餓死をまぬがれたい一心で、同胞や隣人の肉を食う饑饉時の悲劇などは、人の心よりも、そうなるまでに人間を追いつめた事態の方が、むしろ残酷だ。が、陽のあたるところにいる暖衣飽食の連中が、美味をもとめて家畜の殺し方など考案するのは、まさに、ひどいやつら、といえるだろう。

卓上の虐殺

鯉の活きづくりなんてのも残酷味があるが、お座敷天ぷらでは、客の眼の前で、車やさいまきをつまみあげて尻尾を振らせて見せ、生きているのを、たしかめさせてから、頭をとり背わたをとり殻をはいで衣を着せ、揚げ油にほうりこむ。こういう店の職人は、ひょっとしたら海老に、客の顔を見せているんじゃないか、って気がする。「おれのせいじゃないぜ。こいつの注文で、しかたなしにやってるんだ。恨むなら、このダンナを恨め」と、腹の中で呟いているんじゃないか、って気がする。

いせ海老の生きたやつを、まな板の上に据えて、背中から、ぐさりと二ツ割りにする。庖丁のみねを叩くとき両手を使うので、身動きが自由になると、この精の強い動物は、まっぷたつになりながら、もぞもぞ脚を動かして前進し、ぱらりと倒れる。コックさんでも気の弱いのは、こいつをやるのを嫌がる。先年、新左翼に焼かれた日比谷松本楼に戦前、庖丁使いの名人みたいなのがいたが、これをやらせようとすると、手を振って逃げた。

フランスの、婦人用料理書にも、「大海老（鋏のあるオマールや触角の長いラングースト）を料理するには、まず生きたのを背割りにするのが最上だが、残酷な気がして、とてもできないという人は、熱湯に漬けて殺してから二つ割りにする」など書いてある。どちらにしても、たいして変りはなさそうだ。

古代ローマ人は真赤に焼いた鉄串を豚に突刺して殺させ、この方法が豚肉をいちばん旨くするといっている。むかしの食通は、ずいぶん残酷趣味の料理法を考えだしたものである。日本にも「どじょう地獄」なんてのがあるのを、ご存じだろう。鍋のまんなかに大きな豆腐を入れて、そのまわりに、どじょうを放す。水が煮立ってくると、どじょうは苦しがって、まだ芯のつめたい豆腐の中に、争ってもぐりこむ。そこで、どじょう入り豆腐が煮あがるわけだ。

これにちょっと似ているのは、古代ローマのムルス料理である。ムルスはひめじの類で、ローマ人はこの色のきれいな魚を、たいそう好んだ。ローマ人はいったいに魚好きで（常時、海の魚を切らさないために養魚法を発達させ、ものすごく巨大な生簀《いけす》をこさえたりしたものだが、ムルスは飼養にむかない魚だった）本場のコルシカ島やシシリー島の近海で沖釣りしたのを、とりよせて食うわけだが、生かしたまま食堂に持ちこませ、水晶の鍋を食卓において、その中に放す。これをゆっくりと煮る。断末魔の苦しみにあえぐうちに、魚の皮の赤い色が、さえざえと濃くなってゆく。その微妙な色の変化を、水晶の器をとおして娯しむというしかけである。

どじょう地獄はこれほど審美的ではないが、一時でも逃げ場を与えるだけ、まだしも同情的だといえるかも知れない。

が、こういう点では、中国人の方が一枚上手《うわて》だ。ここで、そんな話をすこし紹介しよう。清《しん》朝の道光年間に、江蘇州の清江浦で治河総督という、河川の修築をする役の長官をしていた男が、予算の水増しで大もうけをしていたので、よく宴会をやった。そこで出る一皿の豚肉が非常にうまい。ある時、客の一人が中座して庭に出てみると、数十頭の豚が、そこに倒れている。

料理人にきいてみると、いま、あなたが召しあがった一皿の料理は、これだけの豚を殺して、そのヒレ肉だけを採ったものだ、とこたえた。それも、ただ殺すだけじゃない。豚を一室に閉じこめて、棍棒で背中を殴る。豚が痛がって、ひいひい、いいながら逃げまわる。そいつを追いかけて殴り続ける。まいってしまうと今度はほかの豚を室に入れて、同じことをやる。こうやって五十頭以上、殺して、やっと一皿分の肉が集まる。豚は背を打たれて痛がり、精力をそこに集中するから、そこが特別にうまくなるのだという。

駱駝の瘤を食うのにも、同じようなことをやった、駱駝を柱につないで、背中に熱湯を注ぎかけると、案外あっけなく死んでしまうそうだが、そこで瘤だけを採る。一皿分の料理をつくるのに三、四頭はいるそうだ。

鵞鳥を鉄の籠に入れて、早くいえばバーベキュの鉄板の上におき、そばに醬油の容れものを、おいといてやる。鉄板が熱してくると、鵞鳥はたまらなくなって籠の中を歩きまわる。苦しまぎれに醬油を飲む。そうやって下味《したあじ》をつけるわけだ。死んでしまう頃には全身のあぶらが全部、脚の先に集まって、そこが二〇センチの厚みになる。これは鶩掌という脚の部分だけを食うためだ。

なかでも、猿の脳味噌を食う方法が、いちばん残酷である。机のまん中に小さな穴があけてあり、そこから猿の首を出させる。からだは机の脚に縛りつけて、動けないようにしておく。猿には錦《にしき》の衣を着せる。用意ができると、剃刀で頭の毛を剃り、皮を剝ぎとる。猿は悲鳴をあげながら、誰か助けてくれないかという顔つきで、涙をうかべた眼をきょろきょろさせる。かまわずに頭に熱湯をそそぎ、金槌で頭骨をぶち割る。ここで、お客はそれぞれ銀の匙を猿の頭の中に入れ、脳味噌をすくって、すする。脳の分量はすこししかないから、客は一匙か二匙しか、ありつけなかったという。もちろん清朝時代の話だが、現代でも人間の残酷さは、ちっとも減少していないようである。

残酷の感度

ところで、日本人が畜犬を虐待するといって、イギリスの婦人連が抗議し、日本の愛犬家たちが、おどろいたり面喰ったりした事件は、まだ耳新らしい。残酷の感度は風俗や物の見方などによって異なる。だから意外な非難もあり得るわけだ。

戦争中、アメリカ人の若い捕虜が芝浦で労務に就いているのを見て、「おかわいそうに」といった日本婦人がいたとか、この方は、もうだいぶ、お古いおうわさだが、私も実は捕虜護送をやった経験がある。

山下軍団のシンガポール攻略後、英軍の司令官パーシバルは台湾に収容された。その収容所で将軍に飯を運んだ現地兵がその後、私の方に編入されて来たが、終戦のとき、「お前は戦犯として処刑されるぞ」なんて、みんなにからかわれて青くなっていた。

収容所はたいがい山地にあった。終戦前に台北市外の、いま国際空港になっている松山飛行場のそばに宿舎を建てて、捕虜の一部をそこに移した。かれらは収容所勤務の古参軍曹に指揮され、私の部隊のトラックでウライの山をくだった。小休止になると車から飛びおりて、軍曹の制止もきかず、バンドをゆるめながら、あわてて草むらに駈けこむやつがいる。腹の中でピーピードンドン、軍楽隊が演奏をはじめるところだったんだろう。

日本軍でも山地部隊には食糧が行きわたらない。かれらにも、たまには乾し肉の塩豚のハンバーガーぐらい食わしたろうが、その頃の日本兵なら、よろこんだはずの沢庵に白飯でも、食いつけないかれらは腹をこわすから、虐待にあたるわけだ。マレーやフィリッピンの現地で、当時おこなわれた戦争裁判の捕虜証言には、実際に、こういう行きちがいが見られる。松山の宿舎に着くと、かれらは汚れたシャツをぬいでシャワーを浴びた。私が立っている背後を、ふりちんのまま敬礼しながら通る者もあった。TV映画「コンバット」などで、豪胆な戦闘行為を見せるかれらが、である。松山の収容所は、その後、皮肉にも米軍機に爆撃されて住めなくなった。

もう残酷どころじゃない

映画づくりの名匠、ヒチコックの作品の中でも「鳥」は、もっともショッキングな傑作といえるが、原作はダフネ・デュ・モーリエのノベルである。

海岸の風物に過ぎなかったかもめやからすが、ふいに人間に敵意をしめし、遂には襲ってくる。かれらの狂暴な変心の理由がわからず、人間はとまどうだけだ。日本などよりも野鳥保護政策が、ずっと進んでいるアメリカで、こういう映画ができたこともおもしろい。アメリカ人にはもう、かもめ、からすの類を食料にする必要がないし、むやみに殺傷することも禁じている。

試みにギリシア人が食った野鳥のリストをしらべてみると、なかに、からすやかもめはもちろん、さぎ、みみずく、ふくろうの類、ペリカンなども、はいっている。この古代の文化人も、まだ何でも食っていたわけで、もっと大むかしの原始人たちは、食える物は何ひとつ、のがさなかったし、むこうの方が強い場合は、あべこべに食われていた。いわゆる食うか食われるかの一員に、すぎなかった。「おかわいそう」の持ってゆきどころもなかったわけだ。

ねずみ、いなご、あり、などの小動物でも、群をなして未開人の部落をおそうことは、いまでもある。だが人間は、文明という段ちがいの武器を手に入れてから、無限に強くなった。そしてマサチュセッツ大学のフォスター教授などの指摘によると、人間も動物も、急速に死滅に追いこんでゆくような盲目の進歩に、あいかわらず営々としている。もはや残酷どころのさわぎじゃない。こういう人間どもを見れば、からす、かもめ、たらずとも、私たちに襲いかかってくる理由が、ありすぎるほど、ありはしないだろうか。

II 男性と料理

男の味蕾

303は盗みの番号[*1]

最近起こった数件の盗難の手口から、重要窃盗犯三〇三号が手配された、と新聞に書いてあった。〇〇七などと番号で呼ぶのは、スパイだけかと思ったら、お泥棒さんもご同様らしい。重要窃盗犯という、なんとなく偉そうな言い方も、おかしいが、サン・マル・サンなどは口調がよくて、しゃれている。

スパイといえば、イギリス諜報部でいちばん新らしい部員。ひきしまったからだを平凡なツイードの上下でつつみ、太いセルロイドぶちの眼鏡。それも黒眼鏡なんかじゃなくて、ほんものの近眼鏡だ。すこし、くしゃっとした紙包みをかかえて、ロンドンの下町のアパートの階段をあがってゆく。見たところ役場の書記か図書館員といった感じの独身者。かかえて来たのは晩めしの材料で、ソトワやソース・パンを使って狭い台所で、早速、手料理をはじめる。

三〇分前、彼はスーパー・マーケットにいた。棚を物色していると、まだ買物に馴れないようすの中年紳士と、背中がぶつかる。マシュルームのカン詰めなど、二、三、アドヴァイスして紳士のかごに入れてやると、あいてはささやく。

「今夜○○時、○○街の倉庫へ行け」

この中年は部長で、それから数時間後に主人公は、ロンドン市内か国外か、どことも知れぬところに連行され、時間を超絶した拷問を受ける、といったTV映画を、あなたが本場スパイ物のファンなら、ごらんになったはずだ。このぼさっとした主人公を演じるのは、マイケル・ケーン、いい役者だ。近眼鏡をかけた主人公というのは、ふつうの映画でもめずらしいが、スパイ物でははじめてだそうで、料理が得意の独身者という設定も目あたらしい。


欧米の名探偵にはディレッタントが多い。ファイロ・ヴァンスなどはスノッブの気味があるくらいだから、こういう人達はたいがい高級料理《オート・キュイジーヌ》に関心を持っている。ヴァンスもエラリイ・クイーンもそうだし、ジョン・ディクスン・カアのメルヴィル卿や、フェル博士なども、共に大喰らいで食通《グールメ》を以て任じている。

＊1　００７映画の第一作『ドクター・ノオ』は、一九六三年の日本公開時『００７は殺しの番号』と題されていた。文中のスパイ映画は、レン・デイトンの『イプクレズ・ファイル』が原作の『パーマーの国際諜報局』（一九六五）で、著者はTV放映で見たのだろう。

君子と料理

男性が料理をやるのを、日本では異質のことに考える人が多い。男尊女卑の国には女性の側から見ても、飯炊きや菜ごしらえばかりでなく、実際的なことは何もできない男の、やんごとなさ、みたいなものが受けた時代があった。男の子は台所へなんかはいるものじゃない、なんていわれた子供が、そだってからもゴゼンサマでいられればいいが、いまのマイホーム族を見ると、そうも行ってなさそうだ。

「君子は庖厨《ほうちゅう》を遠ざく」という言葉がある。庖厨は料理場のことだから、男の子は台所へなんか……と同じ思想に解釈されて使われているが、これは古典の読みちがいだ。「孟子」という本の第一巻「梁恵王《りようのけいおう》上」に次のような話が載っている。孟子が斉《せい》の宣王《せんのう》に会うと、「わたしなぞに、民をやすんじて王となる資格があるか」と、きかれた。「さよう、いい王さまになれるでしょう」と、こたえると、「どうして、なれるとわかるのか」と、王さまは慎重に、また質問した。そこで孟子は、たぶんにやにやしながら、こたえた。

「実は胡齕《ここつ》というご家来に聞いた話だが、王さまが先日、御殿に坐っていると、牛をひいて外を通る者があった。王さまはそれを見て、その牛はどこへ行くのか、ときかれた。新らしい鐘を鋳たので、この牛を殺して、それに血を塗る儀式をするのだ、とその男が申しあげると、――やめろ、罪もないものが、びくびくしながら殺されにゆくなど、見るにしのびない。――では、鐘に血を塗るのは、やめにしますか。――やめるわけにも行かん、羊と、とりかえろ、と王さまはおっしゃったそうだが、ほんとうですか」

「そのとおりだ」

「その気持があれば、王さまの資格はあります。人民はみな、王さまがケチったと評判しているが、わたしには王さまの気持がわかりますよ」

「なるほど人民の中には、そう思っている者もあるだろう。だが斉の国がいくら小さいからって、わたしが牛一匹ぐらい惜しがるわけもない。あまり、かわいそうなので羊と替えさせたんだ」

「だが人民が王さまをケチだというのも無理じゃない。理由はともかく、小さいものを大きいものと取り替えさせたんだから。かわいそうといえば、牛も羊も、どっちもかわいそうでしょう」

王さまは照れくさそうに笑ったらしい。

「まったく、わたしとしたことが、なんだってあんなことをしたのかな。牛が惜しくて羊と替えたわけじゃないのに。なるほど人民が、わたしをケチだというのも、もっともだ」

「そう悲観することはありませんよ。それが、つまり仁の道なんです。王さまは牛を見たけれども、羊はまだそこにいなかった。君子は鳥や獣が生きているところを見れば、それが死ぬのを見るに耐えないし、その声を聞くと、肉を食う気にはなれない。それだから君子は料理場にちかづかないのです」

かなり皮肉で微妙な話だが、こういう逸話から当時の家庭生活の状況などがわかって、別の興味がある。君子が庖厨を遠ざけるのは、そこが料理をするところだからではなくて、屠殺をおこなう場所だからだ。先秦時代の中国でも古代ギリシヤでも、住居形式が発達して、一軒の家の中がそれぞれの目的に区分されるようになってからでも、料理場は土間で家畜を殺すところを兼ねていた。

それをやるのは男の仕事で、屠殺から料理、一部を神にそなえ、あとを家族に分配するところまでやる。女は米麦を臼で搗いたり粉に挽くような、いわゆる下仕事しかやらなかった。ホメーロスの叙事詩に出てくる英雄達は肉も切れば、パンも焼いた。ユリシーズのオデュセウスなどはロースト・ビーフの名人だった。中国でも伝説の先王時代には、そうだったと思うが、君主制がかたまってからは専門家にまかせるようになった、ということに過ぎない。ギリシアやローマでも犠牲の儀式まで、後には料理人の仕事になった。

女が台所をまかなう現状には反対じゃないが、男ひとりでは飯も炊けなければ魚一匹、満足に焼けないというのでは、男としても、だらしがない。戦争で不便な環境におかれた時など、私達はこういう退化した文明人のタイプを、自分の中に見出したものだ。だいたい都会出身者で編成された外地部隊などでは、鮮魚などたくさん仕入れたとき炊事勤務の兵隊だけでは手も足も出ない。ところが台湾にいたとき、中国系の本島人が初年兵として入隊して来た。かれらはだいたい良家の子弟で、士官候補生の受験資格を持っていた。

野外訓練に行くと休憩時間に、かれらは罠をかけて野鳥を獲ってくる。春から夏に北台湾にたくさんいるさぎなどを、いつどこでおぼえたのか庖丁で毛を引いて、またたくまに、きれいにこしらえてしまう。変った野鳥など食う習慣を、とうになくしていた日本の兵隊は、あきれた顔で見ているだけだった。

卵料理の話

自分で何もしないで、すむ生活。私達は長いあいだ、それに馴れてしまって、そのかわり別の可能性をなくしていることに気がつかない。このごろ若い男性のあいだで料理熱が、さかんになって来たというのは、一種の造反かも知れないが、男が女のかっこうをするのとは、わけがちがう。

料理をつくるということ、システムの分類、材料の吟味、それに自分でつくって食うこと、の総体が脳に刺激を与え、老化を防ぐ効用もあるようだ。中年のムッシウも負けずにやってみるといい。

ファイロ・ヴァンスやエラリイ・クイーンが自分で料理に手を出したり、執事《バトラー》に能書をいったりするところを見ると、かれらは日本のインテリよりも料理に関して、無精でないことがわかる。やるといっても、かれらの場合は、手の汚れない卵料理ぐらいのところで、日本の男性でも卵入り炒飯やハム・エッグならば、自分でやる人が多くなって来たようだ。そこで誰にでもやりやすい卵料理を取りあげてみよう。

ゆで卵。これは誰にでもできる。湯を煮立てすぎて、殻にひびを入れないように注意するだけでいい。ハンフリー・ボガードなみのハード・ボイルドなら、水が煮立ってから十分は煮る。よく冷やして、細い方から剝いてゆくと疵がつかない。さじで食うウーフ・ア・ラ・コックは、煮立ってから三分たったら、すぐ冷水に取る。この殻つき卵を、さじで、すかッと尖端を切り落して食うのは爽快で、ルイ十五世はこれをやる名人だった。

全卵をほぐして焼く卵焼き。これには炒《い》り卵式のスクランブルド・エッグ（仏ウー・ブルイエ）と、まとめて形をつけるオムレットがある。スクランブルは単純なものだけに、それぞれ自己流があって、本物はどうかなんてことが案外うるさい。ホテルの朝食《あさたべ》で悶着が起こったりするところが小説にも出てくる。

オムレツの基本形はフライパンにあけて、そのまま丸く両面を焼いた形だ。かきと刻みパセリを卵に混ぜて焼いたハンタウン・フライや、天津麵に乗せてあるのも同形。だが、アン・マントー（外套状）という細形の方が通用している。プレンは調味するだけで卵に何も加えず、フライパンでベーコンを一枚あぶって、その出た脂で焼く。具《ぐ》を入れるときは小さいものなら生卵に混ぜるが、五、六人前以上の大きなのになると、プレンで焼いて、まんなかを縦に断ち割ってひらき、そこへ盛る。ヴァンスやクイーンが好きだった当時流行のオムレット・テュルク（トルコ風）は、チキン・レバー、シャンピニョン、セップ（日本では椎茸）などをソースで軽く煮込み、生クリームを加えて、具にしたものだ。

オムレツは手ばやくやらないといけない。そこで何故オムレットというか、という話がある。むかし、スペインの王さまが、野駈けに行って、小さな百姓家により、食い物を出せというと、そこにいた男が手際よく、かき卵をまとめて焼いて出した。王さまはそれを見て感心し、「オム・レスト（敏捷な男）、オム・レスト」といって賞めたので、それがこの料理法の名になったのだという。落語の「浮世根問い」みたいで、あまりあてにならない。

男のする話

夏の蟬

私が住んでいた借家の庭には、欅の木が三本たっていた。周囲百メートル以内で、いちばん高い樹だから、かっこうな蟬のすみかになり、つくつく法師の声が降るようだった。ちかくにもっと高い木もあるが、道の曲り角に生えているので、蟬には安住の場所ではないのだろう。だから、その辺で蟬の声が聞けたのは、うちの庭だけ。夜は雨戸にとまって夜明けを待っているし、物干竿をかける横木に、ぬけがらが、しがみついていたこともある。つまり私はこの狭い地内に、蟬たちと同居していたわけだ。

蟬の出てくる推理小説があるかどうか、おぼえていないが、あったような気もするし、丹念にさがせば見つかるに違いない。ヨーロッパなら、地中海の沿岸には、この昆虫が多い。ふつうの小説では、フランソワーズ・サガンの処女作「悲しみよ今日は」で、熱い夜の空気をかきたてるように鳴く、月夜の海岸の蟬の声など。ほかにもいくらでもあるだろう。

この虫をうまく使ったものに、ロマンスの原点といわれる五世紀頃のギリシアの田園詩人ロングスの「ダフニスとクロエ」がある。乙女の胸に飛びこんだ蟬を、とってやろうとして、若者はそこに、ふっくらとふくらみかけた乳房を発見する。ついでだが――蛍も南欧の夏の風物で、十八世紀のフランス作家アベ・ヴォアズノンの、ちょっと猥雑《リサンシウー》な小説に、（といっても彼の小説は、たいがい恋人たちの受難の物語なんだが）あるお姫さまが草むらで眠っていると、蛍がその、ある場所にとまる。お姫さまでも、むかしは窮屈なものを穿いてなかったと見えて、その部分だけが、ぽーっと照らし出されるという、なかなかよろしい情景が描かれている。

スープの語学

次にメニューのしょっぱなに出て来るスープの領域をうろついて、ちょっとフランス料理のにおいをかいでみよう。ちかごろでは夏でもヴィシソワーズやガスパチョなど、つめたいスープが流行し、スープを食べる習慣も普及した。

ところでどこの国でも笑い話のサカナにされる人種には一定の型がある。フランスでは寝取られ亭主《コキュ》、日本では国会議員さん、など。第二次大戦後、欧米視察に出かけた国民の代表がローマの遺跡を見物した。そこで、感想を求めたら、「この町は復興が遅れとるね……」

パリでレストランにはいると、メニューを持ってくる。何が書いてあるかチンプンカンプンだから、やみくもに、はじめの方の五行ばかり指さしたら、出て来たのが全部スープだった……なんて、まさかね。

試みに「マキシム」銀座店のメニュー（六六頁）を取寄せてみると、いろんな作り方のが八種類ばかり載っていて、これだけのスープを常備するのは並みたいていのことじゃない、と思う。これを一括注文しちゃったら、ちょっと大変なことになるが、英語と日本語で解説もついているし、ボーイさんもいることだから、そんなことは、まず起こりっこない。

ところで、このメニューではスープの分類のところに「Les Potages《レ ポタージュ》」と印刷してある。つまり英語のsoup《スープ》に相当するものを、フランスではポタージュというのだ。日本には、澄まし汁をコンソメ、どろりとしたのをポタージュ、というぐあいに分類する習慣がある。だが、コンソメやチキン・ブロス、ここにあるトルテュ・クレール・オー・ケレス（すっぽんのスープ。オー・ケレスはシェリー酒入り）などの清汁《クレール》も、つなぎ入りのクレーム・サンジェルマンと同様に、本来はポタージュに総括されるのである。

ところが、フランス語のスープは英語と、すこし違う。これは、ブイヨンにひたして食べる目的で、薄く切ったパンのことだ。このパンか、ほかのペーストを下に敷いて、ポタージュをかけたもの、早くいえば、パンのお粥のようなものを、同じくスープという。だから、フランスでいうスープはポタージュの一種で、必ずパンや捏粉《ねりこ》で作った物が使われる。クルートンやソーダ・ビスケットなどを添えて出すのも、スープの形式と見ていい。

もう一度おさらいすると、フランス料理では、吸物の総称はポタージュ。上等な清汁《クレール》のコンソメも、野菜のピュレーや牛乳などを加えたつなぎ入り（リエ）も、パンを入れたスープも、この分類に属するわけだ。コースの食事をするとき、スープからはじめることは、よくご存じのはずだが、ふつうは夕食のときに取る。つめたい前菜《オルドウヴル》から間をおかずにスープ、というのは原則として、いただけない。夕食は、ディネ。これは英語のディナーと同じ言葉。ディナーも現代では夕食のことだが、本来は正餐、つまり一日のうちで、いちばんちゃんとした食事をいう。だから、お昼のディナー・パーティといって、おかしくない。その意味ではフランス語のディネも同じである。

ディネの語源には諸説があって、まだはっきり決められないが、一日のおもな食事だったことは確かで、はじめは朝七時ごろの食事のことをいった。その頃は朝のディネと、晩のスーペと、フランス人の食事はほぼ、この二回だけだった。生活習慣の変化で、ディネが九時になり十時になると、いまのプティ・デジュネ（朝食）のような簡単な食事を早朝にとるようになる。

ちょっと専門的になるが、スーペの語源は中世の僧院で、夕方の祈禱儀式がすんでからの食事を、スブヴェスペラス（晩禱後）と呼んでいたのが崩れたものだという。スープの方はゲルマン語系だというから、このよく似た言葉の語学的な関係は、まだよくわからない。とにかく、スーペは、いまでも夕食の意味に使われるが、ディネにお株をとられた感じである。

マクシムズのスープ八品だけでも、いろんな型のあるのが、わかると思う。家庭でつくる、鶏ガラのブイヨンに、ゆで野菜を入れ、粉で足をつけたような野菜スープから、このメニューにあるスッポンのスープや、いせえびのビスク（ざりがにや鶏の肉など潰したのを入れてつくる。いせえびのビスクは豪華版）など高級店むきのものまで、スープの種類は実に多い。このメニューの、はじめの二つは、鶏のブイヨンを土台にしたコンソメを加工したもの。二番目は「アンリ王の小鍋入」という洒落れた名がついている。ナヴァルのアンリは、シャルル九世の母であり摂政だったメジチのカ

LES POTAGES　スープ

Consommé de Volaille Alsacienne
鶏のコンソメ・フォアグラ入り
Petite marmite du Roi Henri
ポタージュ・アンリ一四世風
Soupe à l'oignon gratinée
オニオンスープ
Bisque de Langouste
伊勢えびのビスクスープ
Tortue claire au Xéres
スッポンのスープ

——マキシム・ド・パリのメニューより——

テリナが、パリに新教徒を集めて集団殺戮をやった有名な「聖バルテルミーの虐殺」のとき、命からがら逃げのびて、後に名君アンリ四世になったルイ王朝の祖である。

いま日本はオカルト・ブームだというが、占星術《アストロロジー》がいちばん盛んだったのは、このルネッサンス時代だ。カテリナ大后は自分の館に塔を建て、これも「大予言」なんてスペクタクル映画にまでなって、いま有名なノストラダムスを、南仏から呼び寄せ、シャルル王の侍医にすると、二人でその塔にのぼり、星占いをやった。占星術師が医者とは、おかしいと思うかも知れないが、かれらにとって重要な七ツの星（七曜）は、みな人間の体に影響を持っている。太陽は頭、月は右腕、金星は左腕、木星は胃といったぐあいに密接な関係があるとされていたのだから、医術もかれらの研究課題だった。それにしてもアンリ四世と、このポタージュと、どんな因縁があるのか。パリの宴亭「パヴィヨン・アンリ・カトル」出の料理か、とにかく直接な由来はない。

だが、家禽《ヴォライユ》のポタージュは古いパリの伝統で、大型の鶏をまるごと水煮にし、岩塩の砕いたのをつけて食べるクルート・オー・ポなど、パリっ子には懐しい食べものだ。ポタージュとは元来、マルミット（土鍋、寸胴鍋）で肉や野菜を水煮するポ・トー・フー料理のことで、汁も飲むが、元はただの吸物ではなかった。「アンリ王の……」も、この系統だろう。これはフランスばかりでなく、ポーランドやロシアのボルチュも本国のは、鶏や鳩を煮込んだ中身の多い原型的なポタージュである。魚のポタージュでも、大西洋岸のコトリヤードや、地中海岸のブイヤベースなど、伝統的な地方料理だ。ブイヤベースが魚、貝、海老、蟹など、いっしょに煮込んで内容豊富なことは、ご存じだと思うが、こういうものは、それだけで夕食を構成できる内容を持っている。

ブイヤベースは、ブイユアベースで、アベースはさっきのスープと同じパンの切ったもの。これを深皿の底に敷いて、上に魚のブイヨンを注ぎかけ、魚貝類は別盛にして出す。典型的なスープである。

こんな身の多いスープでなくても、食事を構成する主体になるものがある。このメニューにもある「スープ・ア・ロニョン・グラティネ」。強い肉汁に焦した玉ねぎを加え、ココットに入れて表面をグラタンにしたもの。コックさんの略称でオニグラ。日本でも愛好されている。これは深夜の小夜食《スーペ》の主体になるオニョン・スープの一種で、代表は「レヴェイヨン」、クリスマス前夜の十二時前にとる玉ねぎスープである。

こう見てくるとポタージュは、もともと量の多い料理であり、スープも独自に食事を構成するものだったことが、おわかりだろう。レストランで夕食をとるときには、料理の数は減らしても、ポタージュをおすすめしたい。ポタージュのいただけないようなレストランは、だめだ。

ソースのおはなし

ロード・ダンセニの「二壜のソース」は、あなたもご存じのように、無気味な壜詰ソースが主題になっている。私たち日本人が、ソースというものを知ったのは、やはり、壜詰ソースからだった。俗に、ただソースといえば、いまでもイギリス風のウスタ・ソースを指すが、日本で、この製造をはじめたのは——ブルドック・ソースなど、かなり創業が古いようだが——一般にさかんになったのは昭和年代にはいってからだろう。それまでは、ロンドンはクロッス・アンド・ブラックウェル社、つまりCBのウスタ・ソースのご厄介になった。青い粗製ガラスの壜に赤いレッテルが貼ってあり、栓は平釘形の同質のガラスに、キルクが嵌めてある。いまもって、この形式だから、およそ一世紀ぐらいは同じ入れ物で売って来たわけで、新らしきもの好きの同胞たちは、あきれるばかりだろう。振ってみると多少おりがある。

フランス料理では、ひとつの料理にひとつのソースをつくる。あるいはソースをつくる過程の材料で肉なり魚なりを煮て、その煮汁をソースに仕上げて、かけて（または敷いて）出す。だから、壜詰ソースを、そのまま使うことはない。

ただソースや詰物《ドレシング》に加える調味料のひとつとして、ウスタ・ソースなどを使うことはある。たとえば「ソース・ディアブル（ディアブルは悪魔《デビル》）」に加える。「プーレ（チキン）・ア・ラ・ディアブル」は、鶏をチキン・カツ式にひらいて、皮と肉のあいだに練りがらしを塗り、グリルするか、パン粉をつけてオーヴンで焼いた料理だが、これに右のソースが添えられる。チキンのいきな食い方だ。

「ジョッキー・クラブ」という大型の鶏のロースト。これは腹に飯を詰めて焼くのだが、飯に鶏の内臓や鶏冠《とさか》を混ぜ、合わせるソースにウスタを加えて味をきかせる。こういう英国風の名の料理に、ウスタは多く使われるわけだ。第二次大戦前の小康時代のモダン料理だが、とにかく無骨な粗製ガラスの壜にはいった本場のウスタ・ソースには、イギリス風の男性的ないいきが感じられる。

ソース戦争

フランス料理では一品に特定のソース一種、といったが、肉料理の軽い煮込みや、掛けソースの基本になるドミ・グラスなどは、ホテルやレストランでは大量に仕込んでおいて、使い頃のが減れば若いのを加え、絶えず火入れをしている。これは肉用のブラウン・ソースの中核であり、レストランの看板ソースといってもいい。つまり、このソースとか、スープの素汁《ブイヨン》の味で、その店の格がわかるわけだ。

とんかつソースというものがある。いま壜詰で売っている中濃ソースとかいうのは、使ってみたことがないので、わからないが、たぶん複雑な工程で作られているのだろう。だが、最初のとんかつソースは、ウスタ・ソースとケチャップを等分に壜に入れ、振り立てて混合させたもので、きわめて無精にドミ・グラスを真似たものといえる。

これは戦前、厚切りの豚カツが流行しだし、ほとんど同時にケチャップが普及しだした頃、とんかつ屋が考案したものだ。

ドミ・グラスは肉料理の代表ソース。その一歩手前は、ソース・トマトまたはトマテ（ソース・エスパニヨールともいう）で、これをもっと煮詰めて精製したのがドミ・グラス。壜詰のトマト・ソースというのもあるが、あれはトマトのピュレーで、ソースといえるほどのものではない。素材に過ぎない。洋飯屋《チャブ》のポーク・カツなどにも、ドミ・グラスの如きものが、かかっていることはいる。ほんもののソース・トマトの段階まで手をかけてつくってあれば、それで充分だが、そんなのはほとんどない。お客も、その上からウスタ・ソースをかけて食べているから、どうでもいいだろうが……。

壜詰のソースでは日本の醬油なども、すぐれた調味料だ。私の子供の頃には、どこの家でも醬油樽という樽詰を使っていた。醬油という名称はソーユ、ソーヤ（中国語の大豆）という原料から来ている。むかしはシスコなどの日本人居留区が、味噌や醬油のにおいで、いやがられたそうだが、いまでは醬油は、さかんに輸出されて、アメリカ人にまで使われているというから、まさに隔世の感である。ショッツルなども、この頃は壜詰になって、デパートなどで売っている。

ショッツルといえば、こういう名産地で造って売出し、輸出までするソースは、近代の産物ばかりではない。ショッツルや塩辛《しおから》に似たもので、古代ギリシア、特にローマ時代に大流行したガロムというのがある。これはカツオやサバの腹わたを原料にしてつくる一種のソースだが、ローマ料理には必ず、といっていいほど使われたというから、いまの日本の醤油に匹敵する調味料だ。カルタゴからくる一級品は、香料と同じくらい高価で、一コンジュ（三リットル四分の一）銀貨五百枚したという。

現代で、ウスタ・ソースと同様によく使われるのは、ケチャップだろう。これも国内で製造するようになるまでは、アメリカから輸入したものを使っていた。ケチャップという名前は商品登録がしてあったのか、カサップなどというのもあった。日本ばかりでなく、世界的に、第一次大戦後、アメリカのケチャップは料理の本場パリにまで進出したのだ。

ＣＢのウスタ・ソースは、この頃、影を見せないが、アメリカのケチャップは資本の自由化で、どんどん侵入し、国産品を押しまくろうとしている。対アメ商戦は、小型車問題ばかりでなく、グレープ・フルーツと蜜柑は、アメリカの突破策戦だったし、デルカゴ戦争[*2]は持久戦の様相を呈しているようだ。とにかく、さらりとしたウスタや、ドロリとしたケチャップ、さてはガロムや塩辛の、植物、動物を使って、ある種の工程を終えた壜詰ソースというものの様相が、わかっていただけたとすれば、「二壜のソース」のうす気味わるさも、ひとしお身にしみようというものである。

いとしナポリ

国内で外国製品と競争に励んでいるのは、ケチャップだけではない。ナポリ原産のマカロニなどもそうだが、この方はむこうが師匠格で、技術提携などをやっている。小麦は、いまだに原生種が見つからないのだが、それほど小麦の栽培は古く、もちろん有史前からおこなわれていた。したがって、パンやケーキのほかにも、ペーストを主食のように食う形式のものが、たいがいの国にある。だが、イタリア人のペーストといわれるくらい、この国で麺類が発達しているのは、ふしぎな気がする。

イタリア麺類と呼ばれるものには、どれくらいの種類があるか、あなたはご存じだろうか。マカロニ、スパゲッティ、ニョッキ、カネロニ、ラザーニュ、カルゾーニなどなど。一説によると、マルコ・ポーロが中国から製法を持ち帰ったのだというが、なるほど、いま挙げたものだけでも、そばあり、わんたん、はるまき、ぎょうざありで、まったくよく似ている。だが、いまあるような中国料理の麺類が、遠いむかしにイタリアに伝わり、そのままの形で受入れ受継がれたなんてことは到底、考えられない。たとえば、現在のマカロニは、ルネッサンス頃、マカロニといったものとは、ま

＊2　デルモンテとカゴメがケチャップ販売の覇権を争ったことを指すらしい。著者の造語か。

るで違うもののようだからだ（中国の麵類も、日本で食べているような単純なものばかりではない）。

スパゲッティより細いヴェルミセル、平打ちのヌイユ（ヌードル）なんかが、ほかの国にもある。マルコ・ポーロより、もっと古い時代、中世に、地中海を航行して生涯を送ったロマン人の水上生活民は、航海に便利な、こういう食物（ラヴィオルなんか）を持っていた。南欧人であるイタリア人は、中国の影響もあったかも知れないが、祖先から麵類の製法を受けついでいたに違いない。むかしの航海族のように、イタリア人にとってもペーストは命の糧だったのである。ムッソリニが北アのソマリーランドを狙ったのも、綿花と、マカロニ製造に最も適した小麦フロメントーのためだったようだ。

戦後のベストセラーのひとつで、映画にもなった「暴力教室」の主人公（MGM映画ではグレン・フォードが演じた）はフランス移民の出で、自分の姓をアメリカ風に呼ばれると不愉快になる。ダフネ・デュ・モーリエをモーリアーと読んだり、ローレンス・オリヴィエをオリヴィアーと発音する手合をきらうわけだ。彼のよろこぶご馳走は、若い妻がつくるお国料理のラヴィオル（フレンチ水ぎょうざ、といったようなもの）だった……。

スパゲッティは軽食として、日本で大流行だが、マカロニの方はどういうものか、この頃、長いのがはいってこないので物足りない。

樽

ミステリ・ノヴェルには樽をあつかったものが、かなりある。ずんぐりした樽そのものが、ミステリアスな感じを持っているからだろう。ビヤ樽といえば、肥満した胴体をコミックに連想させるし、蒸溜酒の小樽なども人間の頭部に、何となく似た感じがある。

樽には死体を詰めるのに適当な容積があるから、推理小説では、有名なクロフツの長篇「樽」以下、この思いつきのものが数篇あるはずだ。実際の犯罪事件でも、セメン樽に入れて、まわりにセメントを詰め、他のセメン樽といっしょに船便で送った例があった。

私は潤色された犯罪実話はあまり好きでないが、簡単な記録からいろいろなことを考えてみることには興味がある。いまの実例でいえば、イギリスからオーストラリアへ輸送されて行く期間に、死体の湿度で周囲のセメントはどんな状態になるか、どんな形に凝固するか、などと考えてみるのである。

もし、それがブランディのような洋酒の樽だったら、周囲はアルコールだから腐敗は防げるが、セメン樽の場合とは反対に、その湿度で死体の方が多少の膨脹はまぬかれない。それも実際、どの程度に膨脹するものか。船がむこうへ着く頃には、死体は樽いっぱいに、ふくれてひろがっているのではなかろうか。荷請人の酒屋が、樽に飲み口をつけるために、回し錐で孔をあけはじめる。と、その孔から……といったことを考えたり調べたりするのが、小説のデータをつくる勉強にもなるのである。

俗にシェリーというものの一種である、スペイン産の銘酒アモンチリヤドーを中心にした、エドガー・アラン・ポオの短篇「アモンチリヤドーの樽」は、憎い相手を酒倉に塗りこめる話だが、樽にからまるミステリーは、以上のような陰惨な題材ばかりでもない。

同じポオの短篇のひとつ「鳴戸落下」は、潮流の大渦巻に巻きこまれて、磨鉢の底に飲みこまれようとした漂流者が、漂流物の酒樽につかまって、鳴戸のしずまる時刻と樽の落下速度を計算し、九死に一生を得るという、力学を使った名篇である。ちかごろは便利で経済的なガラス壜が普及し、樽や瓶の酒にお目にかかる機会は少なくなった。が、酒の種類を問わず、地酒の味は樽詰に限るようだ。酒壜の歴史もすでに古い。パリには壜詰葡萄酒の怪談[*3]も伝わっているくらいである。

モンマルトルの地下の酒庫で、夜な夜な妙な音や人声がするという聞込みに、憲兵が降りて行ってみると、緑色の壜が女に化けてダンスの相手をし、憲兵をたぶらかす。パリらしいエロチックな怪談なのだ。

酒壜は酒樽よりも、いっそう人体に似ているといえるかも知れない。なで肩の貴公子も肩のまるい貴婦人もいそうである。カルヴァドスは腰の重い農家の主婦を思わせるし、胸のふくらんだペパミントは、木綿の服を着た発育のよい村娘か。酒場のカウンターに頰杖をついて、棚に並んだ洋酒の壜をながめながら、こんな空想にふけるのも面白かろう。

最近はブリキのカンを、酒の容器に使用している。カン・ビアはアメリカの戦時食品工業の発案だろうと思うが戦後まじかい頃に、酒や油の携行カンを、大道に並べて売っていたのを、おぼえている人もあるだろう。

ヤミ屋の横行時代で、あれに生《き》のアルコールや地酒などを入れて携え、物交をやったり、もうけたりしている人がいたのである。みんな職にあぶれていた時代だった。

＊3　ジェラール・ド・ネルヴァル「緑（色）の怪物」（筑摩書房版〈ネルヴァル全集〉Ⅳ、創元推理文庫『怪奇小説傑作集4』所収）のことかと思われる。

私もご多聞に洩れず、太平洋岸の疎開地から、ときどき東京へ出て来て、戦友の家を泊り歩いたりしていた。戦友のひとりに甲府出身の商人がいた。この友人の長兄が、携行カンを二、三本ぶらさげて郷里と往復し、甲州産の葡萄酒を都内に持ちこんで稼いでいた。私たちが戦地から引揚げる前から、それをやっていたのである。

のんきな人物で、かれ自身も飲み助だから、むこうでシコタマ飲んで来て、東京に着くころには泥酔して駅の近所で寝こんでしまい、朝になったら腕時計やら身ぐるみ脱がされ、シャツ一枚でベンチに寝ていた、というようなこともあったらしい。

この兄に誘われて、友人も数回、郷里から運んでいた。飲み料としてなら中味の見える一斗壜一本ぐらいは、持出しを許されるということで、私も上京のおりに、ご馳走になり、私がフランスの葡萄酒にくわしいだろうというので（実際はそれほどでもないが）テストを頼まれたりした。地酒だが、グリコースを甘味に加えないものは、けっこう飲めた。だが、店が戦災で焼けない前の友人は、相当な商人だったから、そんなことをしていてはラチがあかないと考えていたらしい。

土地では信用のある男で、融資のバックを持っていた。で、かれは大口取引の方法を考えていて、たまたま上京した私に相談を持ちかけたのである。

密輸は違法だし、その頃は県境の検問がうるさく、物資の移動許可をとらないと、没収されても文句はいえなかった。で、三千人の工員を持つ会社の実力者である別の友人にたのみ、組合員の嗜好品として配給するという話合いを組合とつけてもらい、組合の請願で警視庁から都内持込許可をとった。そして手はじめとして山梨、神奈川、東京、三都県をつなぐ、葡萄酒の大樽のトラック輸送を行ったのである。当時としては大口取引で、産地の醸造元のあいだでは相当のセンセーションだった。

これからは、樽で苦労した話になるのだが、まず受入れ会社は名目だけで、酒をさばけなかった。酒のとぼしい時だったが葡萄酒は酒飲みから酒として認められていなかったのが、おもな理由である。で、一斗壜に移して極力、分売することにし、二本の樽から壜に詰めかえて、見本に出したのだが、これが失敗だった。見本を配ったところでは、みな、妙なにおいがすると、いって来たのである。

飲んでみるとたしかに臭い。産地に問いただすと、使った樽の中に以前、諸焼酎《いも》を入れておいたのが二、三本まじっていたかも知れないという返事だった。地元の不注意を怒ってみたが、最初に手をつけて見本をとったのが、ちょうどその前科のある樽だったとは、やはり運がわるかったというべきだろう。

私も手伝ったが、はけ口はよくなかった。結局、本物の商人である友人が一年あまりかかって売りつくした。私たちで飲んだ分を勘定に入れれば、それほど損はなかったといって、かれは笑っていたが、あとが続かなかったのだから、不慣れな商売はやはり失敗だったのだ。はじめケチがついたので、樽に飲み口をつける度に不安になって試飲したのが度かさなり、相当量、私たちで飲んでしまい、とんだ落語の「花見酒」だった。酒樽には、こんな俗っぽい話もつきものである。

料理哲学

コーコツの人

谷崎潤一郎さんの晩年の作品では、老人の情欲への執着を主題にしたものが目立つ。だが、いくら執着を持っても、結局は涸れつくしてしまうか、「鍵」の主人公のように、ばったりいってしまう。色気がなくなっても、まだ大丈夫だが、食い気がなくなったら、もう一巻の終りだ。寿司が喉につかえて突然、亡くなった人などは別として、人間、火が消えたように死んでゆく前には、たいがい何も食べる気がなくなるようだ。

「恍惚の人」という小説が大当りして、「老人小説」なんて言葉が聞かれた。恍惚の世界というのは、ハドソンの「緑の館」みたいなものかと思っていたが、いろいろ使い方もあるもので、いまの子供は恍惚すなわちモーロクと理解することになるだろう。

老人をあつかったから老人小説というなら、なんてことはないが、「老人文学」という言葉が前からある。これは老人が書いた小説という意味を多少、持っているようだが、やはり変な言葉だ。

「イーリアス」や「オデュセイア」はキメーの老詩人ホメーロスが書いたことになってるけど、老人文学なんだろうか。ナタリイ・サロウト女史は六十歳になってから書きだしたのだが、誰もそんなことはいわないようだ。

作家が長いあいだ書いていれば老境にもなる。その時期に特別の反省なり転回なりをした作家のものを、老人文学と呼ぶのは、いいかも知れない。

その意味では谷崎さんなら、「鍵」などより、中年に書いた「少将滋幹の母」などを私は挙げる。だが、実際はそこまで生きてこないと、「論語」も「荘子」も生まれなかったわけだ。

私の衛生学

なにか、むずかしそうな話になっちゃったけれども、「恍惚の人」を反語的にもじって、「硬骨の人」なんて、元気で頑固に生きている老人を、テレビであつかったりした。現代日本語ってのは実に妙な言葉だ。

私の友人の作家で、用もないのに自家用を乗りまわした結果、骨が軟らかくなったのか靭帯が古ゴムみたいに伸びちゃったのか、とにかく背骨が縮んで来て、それを伸ばすため、牢獄のジャン・バルジャンみたいに鉄の球（?）を足に結びつけ、寝ているあいだも引張っているし、便所に行くにも曳きずって歩く。何ヵ月か、そんな拷問みたいな生活をやって、しかも、ふだんの行いが悪いからという理由で、誰にも同情されなかったという、コーカサスのプロメテウスほどではないが、素晴しい苦悩の体験を持ったのがいる。

医者にいわせると、タクシーの運ちゃんなどに多い病気だそうで、これにかかれば廃業も止むを得なくなるという。これも社会病の一種だから「軟骨の人」とでもいう題名で「警告小説」を書いたら、あるいは当るかも知れないが、体験した本人は、徳川三百年御譜代の家柄だけに、残念ながら、こういうことに乗らない男なのである。

ところが、ふだんは調子の乗りすぎで、つい、しまったッという目にあう。年をとってから、酒も煙草も肉もいけない、米の飯は特に、ほとんど食うな、と医者にいわれて、金があり余っていても、びくびくもので手も足も出ないなんてのも、味気ない生活だ。だから人間は、ふだんから多少の修業が必要で、男でも自分の食い物ぐらいは、つくれた方がいい。

男は一般に生活の技術に無関心だが、洗練された生活ができるためには、やはり多少は知識や鍛練を要する。洗練された生活には、なにも特殊なしゃれたかっこうや、金のかかる高級さが、なくていい。

そんなことよりも、むしろ自分で自分の始末が完全にできるような、簡素で哲学的生活のことを、私はいってるのだが、哲学といったって深刻がったものじゃない。禅坊主が炊事や掃除を修業の日課にして、その責任を持たされたりするのと同じで、これも、やはり自分の身の始末をきめるためなのだ。

粥のすすめ

だから私は、マイ・ホーム亭主になる前に、バチェラーの時から料理の心得を持つことを、おすすめするのだが、それも焼いたり煮たり、ドレッシング・ソースを合わせたり、といったことだけでなく、下ごしらえから鍋や庖丁を洗う、つまり始めから終りまで全部、自分でやらなければ意味がない。料理は茶の湯の修業と同じことなのだ。

それも急速に、たくさんの料理をおぼえこもうとしたりする必要はない。料理学校みたいな詰込み式教程を、特別な目的もなしに男性が身につけようとするのは、ナンセンスに近い。

男性の場合はむしろ批評眼と簡単な実技を、同時に養うようにした方がいい。マイ・ホームのアクセサリとして、それも俄《にわか》じこみの家庭料理のひとつふたつ携え、テレビに出たりするのは、いわゆる有名人のスノビズムで、そういう人は、どうせ働きすぎで胃潰瘍を起こす運命だが、「趣味の料理」なんてもので、その時期を早めるだけの話だ。

料理も自分の始末をすることのひとつだ、といったが、そこには健康管理の意味もふくまれている。フランス料理の下手な真似なんかするより、米を主食とする日本人には特に、お粥を炊いてみることを、おすすめしたい。

この頃の生理学者は白米を目の敵にするが、高峰博士が大日本帝国海軍の船上生活を使って、脚気《ベリベリ》の調査をしてから半世紀もたって、大さわぎをやっている不勉強ぶりには、むしろ愚かしさを感じる。

フランスなどでは、白米は最も良質の穀物として摂生法《レジム》に使われているくらいなのだ。白米の粥は腹をこわさない食物として、病人に与えられているが、むかしの庶民には非常に質のいい滋養と考えられていたことを忘れては、ご先祖さまのバチがあたる。ところで、あなたにお伺いしますが、――お粥は好きですか？　この答えが大部分ノーだということは、きかないでもわかっている。

病気で食欲のないとき、生ぬるいのなど食わされた記憶が、きらいにするのだが、そういう場合、こさえる方は自分では食わないでいいから、つい神経が行届かない。

私が思うに、白粥《しらがゆ》というものは他人に作らせては、いけない。また自分で作れば必ず食えるものだ。日本人で米のにおいや味が嫌いな人は、あまりないだろうから、この適当な濃度、温度、炊きあがりぐあいの白粥は、いま全国的に白米食になった日本人の、好もしい味の原点といっていい。

健康なときに何度か生米から粥を炊いてみて、自分の好きな加減を会得する。お菜《かず》は粥食が進む程度の味と量でいい。もみ海苔、けずり節、大根おろしなどに、これぐらい醬油が効果を発揮し、そのよしあしがわかる食べものもないだろう。好みのお菜が決まると、冷飯のお粥でも、うまく食えるようになる。いざという時のためにも、その他いろいろ利用もできるし、それに、あなたが手作りの白粥は、煩雑な現代生活から、あなたを解放してくれることを、うけあってもいい。

洋食器のすすめ

もっと料理に好奇心を持つ人は、フランス料理の階程など、こつこつやってみるのもいいが、むりして高い物など買うのは、よくない。前にお話したマイケル・ケーン扮する、眼鏡をかけた手料理好きの、イギリス諜報部員のように、スーパーで買集めた材料で結構。それよりも私は、洋食器類をすこしずつ集めることを、おすすめしたい。日本では立派な家に住んでいても、ナイフ、フォーク、スプーンなど揃っていない家庭が多い。「お座敷洋食」などというのも、ひとつの営業法にはなっているが、ほんとうの洋食で、こういう道具のあつかいが抜けては、味も気分も半減する。こういうものを使うことに快感を持たないようでは、洋食くいの資格がない。だから使い方を研究することだ。たとえばスープ匙ひとつにしても、あれはだいたい人の顔のような形をしているが、いろんな種類のスープを飲みわけるため、実に合理的な形にできあがっている。コンソメはどの角度で、濃いスープは……といったことがわかってくると、また面白い。

フォークやスプーンはルネッサンス頃からヨーロッパで使われだした。こういうものは、日本の箸もふくめて、料理用具から出て来たのである。

ところで料理場の道具には物騒な凶器になるものが多い、という話は前に出たが、食器の方は小型だけに直接の凶器としては迫力がない。そのかわり変った使い方が考えられる。「白雪姫」のお話に出てくるのが原点で、誰のだったか忘れたが、古典推理小説にも用いられているトリック。ナイフの片面に睡眠薬（または劇物）を塗っておいて、目の前で林檎を二ツ割りにし、毒のついた方を相手に与えるという手、などがある。食卓で使う食べる道具の中でも、ナイフだけは特別に古いものだ。

楊枝くわえた紋次郎が……

笹沢左保君の木枯し紋次郎が、大評判を取ったが、主人公は長谷川伸さん時代の、挙措進退のつつましい博徒とちがい、さすがに現代的で、くわえ楊枝《ようじ》という行儀のわるいかっこうで、怒り肩の道中合羽を風になびかす。それも焼鳥の串ぐらいある特製の長いやつで、吹矢のように飛ばすと凶器になる。柳生の里の武家内職のつま楊枝よりも、だいぶ長い。よほど唇の握力が強い男で、女だったらたいへんなことになる。

楊枝はレストランなどでも卓上においてあるが、ひとつ取って食堂を出てから使うのが、戦前のマナーだった。その証拠には、食堂の出口で、ボーイが渡してくれるところが、あったくらいだ。いまは食卓で歯をせせっても、別に文句はいわれないが、紋次郎さんの真似だけは、しない方がいいだろう。

フランスで楊枝《キュルダン》という言葉が使われだしたのは十五世紀からで、フランソワ・ラブレーの「ガルガンチュア」が出典らしい。

王さまや貴族が金銀の楊枝をつくらせ、小袋に入れて頸や帯に下げて歩いたのも、その頃の上流風俗だった。この流行がすたれて来てから、乳香樹でつくるものが使われだした。当時の名医アンブロワーズ・パレなどは、この方が、ぐらぐらした歯を固める特性がある、といって推奨している。

シャルル九世の信頼の厚かった新教徒のコリニー提督は、そのために旧教びいきのカテリナ大后(メジチのカテリナ)から目の敵にされて、例のパリ全市の舗道に血が溢れたという、サン・バルテルミーの虐殺も、主目的は彼を殺すためだったと、いわれているくらいだが、この人には紋次郎ばりに、しじゅう楊枝を噛んでるか、でなければ耳にはさんでるか、顎鬚の中に刺しているという有名な癖があった。楊枝マニアだ。

カテリナの要請で新教貴族がパリに呼寄せられ、不意打ちの大量殺人にあったとき、暴徒はコリニーの死体を、ずたずたにする前に、ふざけ半分、彼の生首に、楊枝をくわえさせたという。

狩猟の歴史

狩猟は伝統的スポーツ

欧米では木の葉が色づく季節になると、男性の流行雑誌に、狩猟服が登場する。パリやロンドンは森に囲まれた都で、いまでも王族や封建諸侯の子孫が、附近の森林の中に古い采館《やしき》を持っている。狩猟が伝統的なスポーツとして存続し、男性の生活様式の一部になっているから、季節にはモードのポイントにも、なるわけである。

フランクやノルマン、サクソンなどの王侯には、馬を駆って弓矢でやる狩猟が、平時の腕ならしでもあり、楽しい日課のスポーツでもあったので、罠をかけたりするのは民衆の狩人の仕事だった。王侯と、その家族や家臣、使用人、つまり采館で消費される食肉は、領地で獲れる鳥獣肉と、采邑内《やしきうち》の家畜で、まかなわれていた。

弓矢を使って騎馬でやる狩猟は、もちろん日本にもあった。芥川龍之介の「芋粥」は宇治拾遺物語から採ったものだが、平安朝の公卿が狐狩りをする描写がある。もっと大規模なのは武家政治になってからの、頼朝の富士の裾野の巻狩りで、ついでに曾我兄弟の仇討などというハプニングが、起こったりしたが、この時の主要な獲物はいのししで、その子孫がいまは絶滅に瀕し、伊豆半島の観光政策のため飼育されて、あわれイノブタとなりはてている。

目黒のさんま

東京も武蔵野の原生林の中にできた部落だから、猟場がたくさんあった。私は前に目黒不動のちかくに住んでいたが、あの辺から洗足池あたりまで続く目黒谷一帯は、江戸時代には将軍の野がけの場所だったらしい。それで、「目黒のさんま」なんていう落語の佳作もできたわけだが、私の家からそう遠くないところに、その野がけに来た将軍さまに、さんまの隠亡焼を食わした農家の子孫というのが、住んでいると聞いたときは、すこしびっくりした。

「芋粥」の中の公卿は、肉を食う目的で狐をさがしまわるのだが、仏教が定着し制度化した江戸時代の、お鷹狩りは、すくなくとも食糧としての獲物が目的ではなかったはずだ。角笛を吹きならして獲物を追う、イギリスの狐狩りも、フランスの兎狩りも、後世には貴族的なスポーツに過ぎなくなった。フランスの兎狩りは、純粋な野兎でなく、保護繁殖させているギャレットの兎というものだ。イギリスの狐狩りも、しまいには、おとりの狐を放し、馬の足ならしにそれを追いつめるスポーツに堕してしまった。

勘平は猪射ちの先駆者

弓矢が小銃にかわると、日本でも平時には、これが狩猟に使われた。歌舞伎の忠臣蔵は徳川中期の事件だが、その中で勘平さんは、二ツ玉の強薬《つよぐすり》という火薬銃を、猪《しし》射ちに使っている。だが、明治以後、火器の使用制限が厳重だったせいか、スポーツとしての狩猟は、欧米ほどには流行しなかった。いまでも狩猟好きやガン・マニアは相当いるけれども、伝統が浅いから、日本では狩猟服のモード、なんてとこまでは行かない。オリンピックの射撃競技などでも、旧軍隊や自衛隊から参加しただけで、ガンマンの層が浅い。

狩猟がただ食糧を手に入れるためだけでなく、競技として認められたのも古く、古代社会からである。戦後、地質学や考古学の調査が進んで、人類の発生点が、だんだん古い時代に押しあげられ、だいたい百万年ぐらいは見ていいようだが、人類が人間らしい生活をはじめたのは、やっと一万年ぐらい前からだ。その頃になると農耕もはじまり、武器も漁具なども便利なものが、できるようになり、狩猟の技術も発達して来た。

ヨーロッパの湖上人《リグリア》の文化は、ちょうど日本の縄文文化と同期だが、スイスの湖の上に杭を打って家を建て、住んでいたリグリア人の遺跡から、猪の牙《きば》、顎骨でつくった鏃、お守りなどが発見された。そういうものから計算してみると、当時は、いまの猪と比較にならないくらい大きな奴が、いたことがわかる。こういう大物が獲れるようになったことは、狩猟の発達をしめしている。

狐が肉や毛皮のために大いに求められたのは、ながい氷河時代が終って、ヨーロッパの動物分布が一変してからのようだ。そのころ狐はたいへん繁殖していて、猟の獲物としては、いちばん人気があったらしい。狐は大きな獣ではないが、敏感で敏捷だから、これをとらえるには相当な技術が必要だったはずで、おそらく、その頃には人間はもう馬や犬を家畜にし、狩猟の助手として使うことを知っていたのだろうと思う。

イギリスの狐狩りは有名で、イギリス小説にはよく出てくるから、あなたも映画などで実況をごらんになってるはずだが、馬と犬を使って中型の敏捷な野獣を獲る方法は、非常に古いものだ。ナポレオン・ソロの物語には、ドーベルマンをたくさん放してある邸内に潜入するために、狐狩りのおとりの狐をつかって、この獰猛なドイツ犬をひっぱり出してしまう話がある。狐狩りの逆用でおもしろい。

闘牛のはじまり

話がちょっと前後するが、リグリア期の大猪の存在を考古学者が教えてくれたおかげで、もっと後でギリシア神話にあらわれる、インド象の牙を持つという化物みたいな猪にも実感が出てくる。カリュドンの野を荒らす大猪は、カリュドン王の子メレアグロスと、アルカディアの王女、美貌のアタランテに退治されるが、そのあとでメレアグロスに、ギリシア神話独得の深刻悽惨な運命が訪れることになる。

この猪退治に、アルゴー船の勇士たちが狩出されて力を競うさまは、やはり狩猟競技をあらわしたものではないかと思う。ギリシア文明の先駆として、クレタ島を中心に、エーゲ海の島嶼《とうしょ》文明があった。クレタ島には、ヨーロッパに先史時代からいた牛とは、種類の違う巨大な野牛が棲息していて、この牛を狩出して捕獲することは、勇士の名に価いする崇高な競技になっていた。

この牛はなかなか姿を見せないし、捕えることができても絶対に飼育不可能とされ、ミノタウロスと呼ばれていた。例の、ミノス王が迷宮の中に入れて、処女の人身御供を与えて養っていた牛頭人身の怪物は、この巨牛の伝説化みたいでもあるし、カリュドンの大猪狩りも、こういう狩猟競技が、すでに魅力のある行事だったことを示しているようだ。このクレタ島の野牛狩りは、闘牛のはじまりだといわれている。

有名なミノス王（一人ではない）を中心に、エーゲ海文明をつくったクレタ人というのは、本土のギリシア人とも人種がちがい、地中海民族らしいが、人種はよくわからない。おもしろい風俗があったことが、わかっていて、たとえば狩猟に猫を使ったのは、この島の人たちだ。猟犬でなく猟猫である。だが、ヨーロッパ文明の源泉といわれる、この島嶼人の文化は、近年、古代クレタ文字の解読ができるようになったにしても、まだほとんど謎につつまれている。

猪は王の獲物

ところで再三、猪の話を持ちだしたのは、何故かというと、フランス料理でも、野獣肉の王さまは、やはり猪だからだ。フランス料理のメニューでは、食肉を家畜と家禽、野獣と野鳥というように分類する。家畜で現代料理に使われるのは、牛、子牛、羊、子羊、豚の特殊な部分と子豚。家禽では鶏、あひる、鵞鳥、七面鳥、鳩。猟の獲物の方は高級料理に属するが、野獣では猪と鹿、野兎（これは温帯の国では、ほとんど共通だ）。野鳥は雉《きじ》、雷鳥、しゃこ、しぎ、つぐみ、うずら、かも、ほろほろ鳥、プリュヴィエ（渡鳥の水鳥）など。家庭料理では、もうすこし範囲がひろい。

骨つきの猪の股《もも》を、豚の背脂《せあぶら》でピケして、オーヴンで焼いたのを、あなたも立食の宴会などで、食べたことがあるかも知れないが、猪はフランク族の大好物で、賢明なシャルルマーニュ（カルロス大帝）でも晩年、侍医に猪の焼肉を禁止されたが、いうことをきかなかった。近代では子猪《マルカッサン》が珍重される。鹿は最近フランスでも、食肉の入手が困難になったという話を、ちょっと聞いた。

野鳥の方は、むかしは野獣以上に、いろんなものが食用にされたらしいが、だんだん範囲がせまくなって来たわけだ。大物はやはり雉だが、ヨーロッパではこういうもの、特に雉や野兎などは、すぐに食わず、血に酒や野菜を加えた漬汁《つけじる》の中に一週間ぐらいは漬込んでおき、生きていたとき寄生していたビールスなどが、全滅するのを待ってから使う。野兎病などを避けるためである。

しゃれた野じめ物

秋から初冬にかけて、野じめ物が食べられるのは、ひとつの楽しみだったが、このごろは、なかなか材料がそろわないらしい。野鴨など、水鳥は白身の鳥よりも一般に味がこくて、うまいものだが、この頃の中国からくる貧弱なやつじゃ、しょうがない。つぐみやしぎは日本のも、うまい。霞あみが禁止されているので、つぐみもあまり獲れないのじゃないかと思う。信州や山陰へでも、この季節に行かなければ、食べられないだろう。
しぎは頭の骨ごと食うので、この頃はちょっと歯に自信がなくなったから、どうだろうか。うずらはやわらかで味が上品だが、すこし物足りない。こういうものは材料がはいれば、季節にはレストランのメニューにも載る。かならず、ぶどう酒を注文して、食べることだ。ついでだが、そろそろ時期になる生がきも、白ぶどう酒なしに食べるのは無粋である。

　こういう野鳥料理は、イギリス物の、サーの称号を持つような紳士探偵には、眼のない食べ物のはずで、フランスのペルドリなどは垂涎の的だろう。ペルドリ（しゃこ）といえば、喜多見の家に住んでいた頃、ちゃぼぐらいの大きさのある鳥が、風のように庭をかけぬけたことがある。瞬間はっきり見えたのは、平べったい尻のかっこうだけだったが、私は、ペルドリではないかと思った。

　だが、ペルドリが日本のそんなところに、いるものかどうか。たぶん、いつだったか海外から取寄せて、放したということを聞いた小《こ》綬鶏《じゅけい》だろう、と私は思いなおした。数日たつと、羽の色のそっくりなチビが、あらわれて、人間をこわがらないようすで、そこらをよちよち歩きまわっている。雀が遊んでいると、威嚇するように、そばへ寄って、ちょっかいを出す。このチビは一週間ぐらいいて、どこかへ行ってしまった。

まさか、こいつを食う気はなかったが、私は野鳥の味を思いだした。レストランのメニューに載る鳥でなく、東京湾の岸に飛んでくる海鳥なんかでも、うまいのがいる。あれは鉄砲で射っていいものかどうか知らないが、千鳥などが、実にうまい。大きくて、肉も多い。皮を剝いで身をばらし、血に酒と砂糖醬油を加えて、しばらく漬けておき、それを鉄灸で、つけ焼きにする。そんな簡単な方法で、じゅうぶん食欲をそそる。だが、これはすすめてはいけないことかも知れない。ないしょ、ないしょ。

スパイの周囲

テロも国際的

初夏のテル・アヴィヴ空港で三人の日本人青年が、パレスチナ援助のテロをやった。凶器の持ちこみ使用などの方法は、殺し屋ものの小説から学んだらしいが、レバンテの国々の通関のゆるやかさを狙ったわけだ。スパイ小説などと違うところは、特定の被害者がいない。女子供も自動小銃の的にする無差別テロである。パレスチナ・ゲリラの言い分は、イスラエルは国民皆兵をモットーにしているんだから、こっちも当然、兵士と市民の区別を認めない。ほんとうにひどい眼にあってるのは、かれらに土地を奪われたぼくらの方なんだ、という。

ヨーロッパやアメリカには、こういう他国の民族闘争や社会変革に、フリーに参加する者が、かなりある。古くはフランコのスペイン内戦の時の義勇軍や、反ナチのレジスタンス、カストロ＝ゲバラのキューバ革命など、引越しの手つだいみたいに気軽に（でもないかも知れないが）かけつける。だが、日本人の参加、しかも単独凶行がフラッシュを浴びたのは今度が、はじめてだから、日本を代表するつもりの人たちには寝耳に水で、あわてて見舞金を出すなんて声明し、どうやって出すのか、こっちの方がびっくりしたくらいだった。この問題は私たちがとやかくいうよりも、むしろ首を洗って、他国の裁定を待つべきだろう。

スパイ小説の本場

パレスチナの失地回復は長い民族闘争の歴史的な政治問題だ。イスラエルの民がカナンの地を追われてから何千年もたって、やっと故国を再建できたとき、予期していたにしても、これほどの抵抗や混乱が起ころうとは、世界の人は考えなかったろう。すくなくとも、もうすこし、うまくやってゆけるぐらいは、考えていただろう。

だが、現実の利害関係が絡んでくると、そうはいかない。歴史的な彷徨に同情する余裕なんかより、むりに割りこんで来て他人を押し出す奴への憎しみの方が、いそがしい。グアム島の密林に二十八年ももぐっていた人に、別にカカワリがなくとも、反感の手紙を出す同胞さえいるくらいなんだから……。

中世から近代まで、ヨーロッパの東部から西アジアにいたる地域は、国際戦争の口火や呼び水の役をつとめて来た。第一次大戦はバルカンから起こり、第二次大戦はレバンテに波及した。だから、この辺はスパイ小説の本舞台になる運命を持っていたわけである。戦後は、東西に分断されたドイツや、アラブ連合の北ア、第三世界の中米、南米、第三国の勢力が交替した旧仏領インドシナなどが、スパイ小説の範囲に加わった。

製作面から見ると、この現代小説のジャンルも、本場はやはりイギリスのようだ。傑作といわれるものを、ざっと拾ってみても、作者はモーム、バッカン、グレアム・グリーン、アンブラー、フレミング、ル・カレなど、やはり錚々たるイギリス作家の顔がならぶ。イギリスは複雑な外交の主導権をとる必要がある国だし、国民性にもよるのだろう。

いま挙げた作家の作品を読むと、かれらのスパイ、またはアマチュア・スパイが活躍する舞台は、なかなか多様だが、やはり古典的な西アジアが、いつまでも人気を保っている。欧米でたくさん出版されている通俗物のスパイ・シリーズには、トルコのイスタンブールなど、必ずといっていいほど出てくるが、こういうものは、テレビ映画の原作になっているから、あなたもご存じだと思う。サイゴンやバンコックが出てくるのは時節柄だ。

衛星国のチェコなどに、微妙な立場でスパイ物を書く作家がいるのは注目されるし、スパイ物作家ではないが、シオニストのバーナード・マームッドの特異な存在など、もっと注目されていいと思う。

スパイの生態

ジョン・ル・カレのスパイ小説は、ちょっと次元の高いもので、スパイの人間的関心がリアルに書かれている。ル・カレのスパイは縦の関係も横の関係も信じられなくなって、自己閉鎖におちいる。そういう男が鉄のカーテンに潜入するのは、ジェイムズ・ボンド的冒険ではなくて、一種の苦行みたいなものだ。そこで、ぎりぎりの人間関係を見出すことが、彼の作品「寒い国から帰って来たスパイ」などの眼目といえるだろう。リアルに書かれているけれども、イギリスに実際、スパイ組織があるとしても、こういうものではあるまい。

「アシェンデン」のサマセット・モームや、スパイ物の専門家といってもいいグレアム・グリーン、エリック・アンブラーなどは、イギリスの汎ヨーロッパ的といわれる作家の中に、入れていいようだが、かれらの主人公は危険感は、もちろんあるけれども、イギリス人らしい余裕を持って行動する。特に舞台が西アジアやバルカンだと、同じく、わけのわからない標的を追って、霧の中をさまようのであっても、一種の解放感がともなう。そこが、ル・カレや、チェコ作家の「アルフォンスを捜せ」[*4]などと違うところだ（この小説も、グリーンの「ハバナの男」のように、具体的な事件は起こらないが、かえってそのために現実感がある）。

ところで、いまいった解放感というのは、紀行小説が持っている解放感と、同じ性質のものかも知れない。どこの国でも観光政策に力を入れ、空路の開発がさかんな現在では、実用的な案内書《ベデカー》や、おみやげ本の観光案内に人気があって、旅行記などは昼間の幽霊みたいな存在になりかねない。だが、ホフマンやネルヴァルをはじめ、十九世紀には幻想的な紀行文が流行って、エキゾチシズムなんてことも、そこから有名になったのだ。

エドガル・キネの「スペイン旅行記」が、となりのフランスでベスト・セラーになったことを考えると、ロスト・ワールドのガラパゴス島や南極の越冬基地まで、観光コースに組まれる現在では、隔世の感が深い。

＊4　クルーゾーの映画『スパイ』（一九五七）の原作となったエゴン・ホストヴスキーの小説。映画と同題で初訳されたが、一九六六年に文庫化時『秘密諜報員 アルフォンスを捜せ』と改題された。

はじめて行って、しかも言葉のよく通じないところを歩くと、謎めいた雰囲気と淡い危機感がつきまとうものだ。それが紀行文の持っている、ベデカーにはない感じで、その感じをスパイ小説が、エキゾチシズムのスパイスをきかせて、たくみに再現させたといえるかも知れない。

主人公の諜報員は、ようすのちがう風土の中で、めずらしい景色を見たり、突飛な風俗に面喰ったり、かわった飲み物、食べ物を味わったりする。ボンド君などは女まで味わってしまう。こうなると諜報員、実は旅行者の生態も、けっこう楽しいわけだ。

アラブとユダヤの料理

問題のテル・アヴィヴは、イスラエルの地中海に面した古都ジャッファに隣接して、第一次大戦後、欧米から帰って来たユダヤ人たちが建設した近代都市だ。現在の首都エルサレムは、ここから六〇キロばかり奥地へはいったところにあるが、テル・アヴィヴの方がイスラエルの文化センターで、観光局などは、いまでもここに置かれているはずである。

イスラエルのとなりは、お互い眼のかたきにしているヨルダン。北はレバノン、その東にシリア、西はトルコを通って東欧にはいる。トルコ（小アジア）の北は黒海をへだててソ連領だ。小アジアの海はギリシア、イタリアに通じて、エーゲ海文明を生み、ホメーロスの英雄たちの活躍の場所だった。いまのレバノンの海岸にあったフェニキアの船乗たちはもっと古い時代に、イベリア（スペイン）まで出かけている。

ヨーロッパの対岸、イスラエルからいうと、この前の戦争で占領したシナイ半島（スエズ地峡がある）のとなりは、アラブ連合のエジプトで、それから西へ、チュニジア、アルジェリア、モロッコといったぐあいだが、このあたりは特に近代西欧諸国と、政治的な関係がふかい。だから暖流のめぐる地中海をはさんで、スパイ暗躍の本舞台が点在する。まさに地中海は、スパイ小説の海とも、いえるのである。そこで、スパイたちは、この地方では何を食い、何を飲んでいるか、スパイ小説を読む参考までに、いそいで一瞥してみよう。

まず飲み物。——アルジェリアでは水と牛乳。ぶどう酒は数種類あって、マスカラなどは、あなたもご存じではないか。いちじくで造るブーラというリキュールは、モロッコでも飲める。だが、モロッコの特色は、薄荷《はっか》入りの紅茶だろう。チュニジア人は、ラグミという椰子酒をつくる。エジプトでは、水にばらやオレンジの花のかおりをつけて飲む。ナイル地方ではマリウという、ぶどう酒を産出する。ビールはハムラビの法典に出ているくらい古くから、あるものだが、エジプトでもビール製法は古代から発達していた。昼間から女の家に入りびたって、ビールばかりくらっている極道息子に宛てて、親父さんがパピルスに書いた意見状が、古文書として保存されているくらいである。

ビールはトルコでも飲める。トルコには国民的飲料のボザというものがあるが、これは早くいえばトルコの甘酒といったものだ。ヨーグルトつくりでも、かれらは先輩だが、コーヒーをヨーロッパに伝えたのも、この国だ。いまのトルコ・コーヒーというのは、細かく挽いた粉に砂糖を混ぜて、漉さずに飲むもので、もしイスタンブールへ行く機会があったら、朝、バザールに出かけて飲んでいらっしゃい。

料理。――アラブとユダヤは、むかしから目には目を、って関係が続いているが、料理には共通のものが多い。食肉は主として羊だし、なすなどは、どちらもよく使う。ピラフはトルコでもエジプトでもやる。エジプトのコフタスという羊肉のハンバーガー、これに似たものは、どこにもある。シシュ・ケバブというトルコ料理は有名だし、六本木あたりのレストランで売り物にしているから、あなたもご存じだろう。だが、日本ではいろいろなやり方をするらしいから、最後に、本場の料理法をひとつ紹介しておこう。

シシュ・ケバブ

シシュ・ケバブは、羊肉の串焼のことだ。もも肉を三センチ角に切り分け、皮、あぶら、すじなどを、きれいにとる。(一人前四こ) これを陶鉢に入れて、ロリエ (ベイリーフ) の半割 (肉一キロに一〇枚)、タイムのほぐしたもの (六本)、玉ねぎ (二〇〇グラム。皮をむいて輪切り) を加えて混ぜ合わせ、オリーブ油二デシリットルをかけ、蓋をして漬けこむ (塩こしょう、してはいけない)。あくる日これを、肉とロリエの葉とを交互にして金串に刺す。タイムの小枝が肉にくっついていれば、そのままにしておく。鉄灸《グリル》を十分間、加熱してから、串刺し肉をその上に並べて、片面五分ぐらいずつ焼く (ただし生焼きがよければ、そんなにおかない)。焼きあがったとき塩こしょうして、熱いうちに出す (レモンを二ツ割りにして添え、ジュースを絞りかけて食べるのも、いい)。

人類は餓死寸前

杞人の憂い

むかし杞という国の人は、天が落っこちて来たり、地が落ちこんでしまうことを心配して、飯も喉に通らなかった、という。これは「列子」という本の中に出ている有名な話で、杞憂、つまり杞人の憂いという言葉が、取越苦労の意味に使われているものとは、ここにあるわけだ。そういうことも、起こらなければならない時がくるとすれば、必ず起こる。だがそれは大遠、つまり、はなはだ遠い先の話だ、と、その本には書いてある。

この地球にも、いつかは絶滅の時がくる、という考えは、いまでは常識だ。私の幼少の頃、ハレー彗星《すいせい》が地球にちかづいて、ひょっとしたら地球は熱で溶解してしまうかも知れない、と世界中が大騒ぎしたことがある。ずいぶん古いことで、いつか推理物翻訳者の会「ミステリ・クラブ」の会合で、その話が出て、はからずもクイーン専門の青田勝さんの年がわかったほどだ。この会は、歴代の幹事が揃って無精なため、ハレー彗星の周期ぐらいにしか会合をやらない。ところで、そのハレー彗星の方は、その後も地球にぶつからずに、遠い旅を続けているし、天体間には一種の均衡があって案外、不測の事故は起こらないのではないかという観測もされている。列子流にいえば、絶対にない、とはいえないわけだが、もう余り心配されていないようだ。

地球が無事故で冷えきって春秋を終えるとすれば、それは実に遠い先の話だが、そのときまで人類は生存していて、いざとなれば宇宙船で他天体に引越せる、といった楽天論が、すこし前まで、いわれていた。だが、最近はまた心細くなって来て、気の早い説では、日本人の食糧はあと三十年しか持たず、そのとき私達は絶滅に瀕する、という。この二十世紀を人類最後の世紀とする説が、欧米でも既に警告として発表されていることは、前に書いたが、理由は産業汚染等いろいろあるけれども、大きなものでは、今世紀の前半に安泰だった地球気象が、後半から悪化し、なかば恒久的な不作が地上を襲う、だが、その対策は、どの国の場合を考えても、とても間に合いそうもないからだ、という。現在の私たちと、これからの三十年間に生れてくる人類は、日乾しになる運命を背負っているというわけだ。

二十一世紀のミスタ・ヨコイ

ナイロビ博物館の館長で、アフリカ生れのイギリス人、ルイス・リーキー[*5]博士は、夫人といっしょに、オルドハイ渓谷の発掘にあたっていたが、一九五五年七月十七日に、夫人が原人の歯を二個発見した。これは百三十六万年前のものと推定され、ジンジアン・トロプス（東アフリカ化石人）と命名された。ところで、そこでは前から石器の類が発掘されているが、この原人が、それを使うほど進化していたとは信じられない。一九六〇年代になってから、別種の顎骨が発見されて、これにはホモ・ハビリスという名がつけられ、リーキー博士はこれを、人類の始祖と見なしている。このハビリスよりも、もっと後期のホモ・エレクトスの遺骨も同所から発見されているが、ジンジアン・トロプスは旱魃のために死滅し、エレクトスもなんらかの原因で絶滅して、人祖にはなれなかったと、リーキー説はいう。

この東アフリカ化石人は、いままで発見された人骨化石では、もっとも古いものだが、このオルドハイ渓谷だけでも、長い長い間をおいて何代かの原人が住んだことがわかる。ヨーロッパ大陸で発見されたのは、第二間氷期以後の、五、六十万年前ぐらいからのもので、はじめから連綿と続いている種族はない。たいがい二、三千年のあいだに、かれらの文化をつくりだし、それから、あとを絶ってしまう。フランスだけでも違う場所の違う地層から、いくつも、かれらの生活の痕跡が見つけられている。人類の歴史はこんなふうに断続的で、それが、どこでどう消えたり出たり、人間という種が絶えず続いて来たかは、よくわからない。あるいは原始人の横井さん[*6]が、ひとつの原始文化時代から孤立して存在し、それが次の時代へのつなぎの糸になった、ということは考えられないだろうか。

古代世界になっても、民族と文化の交替が各地でおこなわれた。その民族も、どこから来て、どんな系統なのか、わからないものの方が多い。日本人は弥生時代人から数えれば、一民族の消長としては適当に長い歴史を持っている。が、だからといって早晩、消滅してしまうかどうかは、なってみなければ誰にも、わからない。そのとき、どんな適応性をしめすか、または、どこかに横井さんがかくれていて、未来のある時期にひょっこり顔を出すか、マツシタさん[*7]は、いなくなっても、ヨコイさんが生きのびることも、ありうるだろう。私としては列子にならって、「壊《くず》るると壊れざると、

＊5　正しくは一九五九年
＊6　横井庄一は太平洋戦争の終結を知らずグアム島に残り、戦後二十七年目の一九七二年に島民に発見されて帰国、その年の話題をさらった。「恥ずかしながら帰ってまいりました」という言葉も流行語になった。

われ何ぞ心に容《い》れんや」の心境だが、革命やハイジャックも、この終末的世界観への反応かも知れない。

SFとアポロ計画

近代産業が興隆した十九世紀に、無邪気で勇気に満ちたジュール・ヴェルヌの科学冒険小説が出たのは偶然ではない。H・G・ウェルズは自然科学の眼を通して、新らしい恐怖の世界をひらいた。が、彼の人物は、恐怖の前で、たじろいではいない。SFがさかんになった時期の作品は、やはり開拓精神みたいなもので貫かれている。だが、その後SFは、たとえば、どこそこの星へ行くといったような、具体的な目的には、あまり興味を持たなくなったようだ。むしろ、そういう目的そのものに疑惑や不信を感じているようで、科学的な巨視哲学の方法で、むかしの中国の志怪小説のように、現代の恐怖と諷刺を示そうとしているように見える。

アポロ計画の最初の成功のとき、アメリカ政府のスポークスマンは、SF作家たちを現代の哲学者と呼んで賞讃した。だが、当の作家たちは、どう思っていただろうか。SFの仲間にも入れられているシオニストのバーナード・マームッドなど特に、どんな顔をしているかと思って、おかしかった。が、いま、食糧危機や環境汚染などの人類滅亡論を前にして、アメリカの政治家はその予言者たちを、どう呼ぶつもりなのだろう。

戦争が続くと、一時的な食糧難が起こるのを、私たちは経験した。だが、今度は恒久的な食糧危機がくるという。日本政府は、どんな対策を持っているのだろうか。アメリカ大豆の不作は、その前兆だというが、大企業の化成部門では、石油から蛋白質をとる研究をやってるそうだ。同時に大手商社では大豆の買占めに励んでいる。平和のための戦争、のむこうを張って、まさか危機打開のための買占めなぞとは、いわないだろう。

宇宙食としてのクロレラ栽培が話題になったことがある。そういうものが、いざというとき、どの程度、役に立つか。食品工業界も創意工夫の時代にはいって来たが、インスタント食品の「苦労しました」程度のものでなく、大構想を必要とする時になったようだ。

宇宙食の先駆的存在に、航空食というのが戦時中あった。糧秣廠の川島四郎（当

＊7　一九七二年、松下電器産業のナショナルパナソニックテープレコーダMACのテレビCMで、ラジオDJに扮した愛川欽也がスタジオから製品の紹介をしようとしていたところ、画面外から邪魔してくる人物に業を煮やし、最後に「あんた松下さん？」と問いかけるセリフが人気を博した。

時）少佐がつくったのを、私も戦地で、もらって食べたことがある。米、挽割麦、魚粉、梅干などを圧縮したもので、一食分の携帯口糧として、手のひらに乗るくらいのかさだったが、薄塩で、ちょっと乙な味がした。話はちがうが、航空会社の機上食というものは、作りたてを食べさせるわけにいかないから、どうせ、あまり旨いものじゃない。一昼夜かそこらの空の旅で、むりにディナーなど食わないでも、むしろ川島式の航空食で、うまい煎茶かコーヒー、それに上物のウイスキーと上等の煙草でも添え、そのかわり運賃を安くしてもらった方が気がきいている。海外旅行で世界に名を轟かした農協の小母さんに、日航がやわらかいスモーク・サモンを出したら、生とまちがえ、腹をこわす、といって手をつけなかったそうだが、案外、この小母さんは、それなりに旅の心得をわきまえていたのだろう。私が食べた範囲では、オープン・サンド式にしたサス航空のスメルガスボード（俗にいうバイキング）など、秀逸の方だと思ったが、むりに定食《ターブル・ドート》などを組むより、機上食に適応した食品や様式を考えてみる時が来ているのではないか。新趣向の軽い食事は、かえって農協の小母さんにも、めずらしくて喜ばれるかも知れない。

一一〇番は電話だけじゃない

推理小説は、ポオのデュパンのように、ふつうの人の考えないような方法で、ものを考える、狭い視野で行きづまった思考から人を解放する、巨視的な方法で出発した。それが名探偵というものを支える特徴だった。その後もっとリアルに現実に密着する、たとえば犯罪社会を対象とする刑事物語といったものが、だんだん主流になって来た。シチュエーションや心理的サスペンスを、リアリズム的手法を使って、じっくり描いてゆく。それがまた、もっとスピーディで、フィクションの強い、イァン・フレミングやハドリー・チェイス式のが流行の形式になってくる。「一一〇番街交差点」というアメリカ映画では、ニューヨークのハーレムを縄張りにする、ゴッドファザー的ギャング一家を、そこに住む堅気の黒人が襲って強盗をやる話が、いわゆる警察物の形で展開するが、特殊装置のカメラを使って、現場に肉薄してゆく態度が、この映画の味噌だ。

ベルチョンの指紋法をはじめ、科学的捜査法が普及しだした頃に発足した推理作家の興味が、ここで復活して、法医学的用意が充分になされ、それが素速く何気なく使われているのが見事である。たとえば、ラストの屋上の射撃戦で、アンソニー・クイン扮する乱暴で、いくぶん悪徳で、そして善良な停年前のデカ長が射殺される。彼のこめかみに、ぴッと、小さな穴があく。私といっしょに見ていた友人の法医学者、長安さんが、「よくできてますね。拳銃弾の嵌入口は実際、あのとおりですよ」と、私の耳にささやいたくらいだ。

推理小説は、ますます人間に密着してゆく。特に死、個人の多様な死をあつかう読物だから、高級なのも通俗的なのも、SF的巨視哲学と共に、人類の終末が警告されるこの世紀末には、どちらも必要なものと、いえるかも知れない。

この個人の危機の方は、人類の危機以上に、やたらに警告が出されている。たとえば成人病の危機に対する、やや無責任な食餌療法のすすめ、など、糖分を吸収するために相当量の蛋白質をとれ、といったり、いや、蛋白質はいけない、といったり。前には、高血圧は豆類を大いに食っていい、といっていたのが、怪談研究家の阿部主計の話によると、豆もいけない、といわれたそうだ。「医者のいうことを聞いてたら、何も食うものがない」と、阿部くんはいっていたが、この話の方が、彼の専門の怪談より、よっぽど怪談である。この成人病の危機は、食事学の問題でもあるから、また別の機会に取り上げることにしよう。

性と食欲

リクルグスの立法

表題を早飲みして、性欲昂進性食物の話かと思われてはこまる。女性の粘液をソースにしてシュリンプス・カクテルをつまむといった、黒博士《ドクトウル・ノワール》流の性風俗誌も、お呼びでない。エロチックな食物というものは、古代からある。だが、そういう話は別の機会にゆずって、ここでは社会現象としての、二者の関係を、すこし見てみたい。

衣食足って礼節を知る、という。礼節あるいは体面といってもいいだろう。戦後の庶民生活に密着した制令の中で、最大のものは食管法、最も目ざましいのは売春禁止法だと思うが、売禁の方は社会生活が整備され、国際的体面なんてものを考える余裕ができてから発令された。それ以前に、だから、戦争中なかみが消滅して殻だけが残っていた旧遊廓の中などで情熱が芽を吹き、いわゆる赤線はなやかな時代があったわけだ。が、それよりもっと前ということになると、日本人男性はほとんど失格。ろくに飯も食わずに、その方にばかり励んではいられない。まず食うことが第一。女性の動機もおなじことで、星の流れに身を占って、肉体の門戸を張った聖なる女性群のお客は、アチラ物を持ってくる進駐軍《ちゆうさん》だった。

食管法は、もちろん衣食足らないときにできた統制経済の底辺で、その必要性は、足りないという直接的な理由だけにはとどまらないが、それが端的に施行されたのは、やはり戦後の片山内閣のとき。外食券による以外の主食の販売は停止された。つまり飲食営業はほとんど総倒れだから、社会党はそれ以来、この業界から恨まれている。この場合には食糧の管理が、食事法の統制にまで触れて来たわけだが、その点では片山さんより、もっと徹底して物すごい大先輩がいる。スパルタの立法者リクルグスが、それだった。

古代の共和制社会の（その真似をしたフランス革命などのときも）政治家は、たいがい上下のへだたりのない生活を理想とした。金持も貧乏人も、おなじ食卓でおなじ物を食う。いわば市民全体の給食制度を、リクルグスも考えた。上流人も家庭で贅沢な食事はできない。一方で、どんな賤民でも自分の食いぶちの大麦粉、いちじく、ぶどう酒、チーズなどの材料費を払うだけの収入がないと、共同食にありつけない。ということは市民の共同体から締めだされることだから、従ってノルマが必要になる。とリクルグスが王さまにさえ、勝手な時間に食事をさせなかったのは立派だが、なにしろ階級社会で共産主義的な生活制度を確立しようとしたのだから、やはり、無理で、しまいには石をもて追われることになった（彼の事跡はプルタルコスの著書に詳しい）。社会党の革新内閣も、まさか食い物のうらみじゃないだろうが、あの時きりで、残念ながら、いまだに再現しない。

外食とストリップ

外食券、カストリ、輪タク……灯火管制はもう必要ないのに、十二時を過ぎると、まっくらになってしまう東京の街。この時代はまたストリップの創生期でもあった。新宿の帝都座や、後にＮＨＫのラジオ・スタジオになった飛行会館のホールで、はじめてやった額縁ショオは、ストリップではなくてヌード、アイデアはむかしの活人画である。動きのないヌードを照明で微温的に暈《ぼか》して見せる、なんということはないもので、そんなものが上演できるようになった世の中かわった[*8]――という、おどろきの方が大きかった。

ストリップも、はじめの頃は、当時カストリ雑誌といわれた仙花紙の雑誌が、さか

＊8　「世の中かわった、紅茶にソネット」という森永乳業のクリーミングパウダーのＣＭがあった。

んに載せた猟奇小説——これは推理サスペンスと縁の深いものだが——もと陸軍大佐かなにかが流しの按摩になって、サジスチックな犯罪をやる、といった話を脚色した猟奇劇と抱合わせで、六区あたりでは、やっていた。だが、純粋なピープ・ショオ的なものが、やがて独立の興行として定着するようになった。浅草の田原町に、外食券のうどん屋と、赤風車のついたストリップ小屋が並んでいたのが、当時の活気のある街景として印象に残っているが、その小屋には淀橋太郎さんなんかが脚本部にいたはずで、舞台に風呂桶をおいて入浴シーンというのをやった。お客を引っぱりあげて踊り子の背中をながさせる。たまたまクロのGIなんかがあがってくると、すごくハッスルしちゃって、今度は降りてもらうのに苦労するといったハプニングもあった。

その頃、六区の交番のうしろにあった古本屋や、東京駅八重洲口の夜店で、ガリ版の春本をかなり平気で売っていた。内容は小栗風葉作といわれる、こういう秘本での名作「袖と袖」や「むき卵」の抜き書など。その後、上野あたりに本拠のあったやくざの出版になるらしい活字本で、創作物も出るようになった。興行物としてのストリップの現況は、どうなっているか知らないが、雑誌文芸の方は時代小説、推理小説、何によらず、ほとんど疑似ポルノの氾濫である。日本でも、やがてポルノ解禁になるだろうが、文章表現などでは、書けるところまで書けた方がいいのは当然だ。わるい影響があるといえば、いいかげんなゴマ化し描写でも、やはり、あるだろう。バカげたものを氾濫させておいて、読んだ方がいい「チャタレー」のような真面目なものを抹殺してしまう法的処置が、良識であるはずはない。

ポルノを文学に取入れて、比喩的なモザイクをつくりだしたのは、ヘンリ・ミラーだが、一度、解禁してみると、また、いろいろな試みがなされるだろう。在来のポルノは解禁されても、そのままで永続するわけがないからだ。映画などの場合は小説と違って多少、直接的な影響がありそうな気もするが、これもアメリカなどの実施例を参考にできると思う。

逆説的にいうと、中途半端な、ボカシやカット（検閲も製作者の手加減も）が、流行を持続させている。「ちょっとだけよ……」[*9]といったところで温存されているので、こういうのは無精者の天国、社会的な堕落ってものだ。日本映画のやくざ路線が若い人を、ある時期、非常な魅力でとらえたという。それにはそれだけの理由があると思うが、カッコのいいやくざや、カットで護られたエロスが、別の前進を妨げたという

＊9　一九六九年から始まったＴＢＳテレビ系列のバラエティ「8時だョ！全員集合」でドリフメンバーメンバー加藤茶が、しなを作って発するギャグで、「少しだけ眼福をサービスする」意。

ことも、いえはしないだろうか。

ポルノ映画論

やくざ物も、あまり描写が迫真的で物すごいと、続けて見る気がしなくなる。

ポルノ映画——といっても、どこまでがそうなのか、よくわからないが——とにかく黒テープで局所が匿されたり、陽炎ゆらゆらの画面のある映画なら、私も何本か見た。性の問題意識があったり、現代生活の欲求不満といったものをテーマにした、まじめだが暗いものや、カラーで女体を見せるだけのもの。性交場面そのものは、パゾリーニのような鬼才がやっても、別におもしろいものじゃない。私が見たうちの白眉は、ウインの娼婦の女王の生涯を描いたベストセラーのポルノ小説「ヨセフィーネ・ムッツェンバッツァ伝」の映画化で、ドイツ映画らしく、すこしテーマにこだわるところもあるが、堂々とした大作、ふつうの映画として上映したい優秀作品だった。原作は読んでないが、相当な小説じゃないかと思う。ポルノの枠がはずされたとき、こういうものは先駆的作品の栄誉を受けていい。

欧米の映画などの場合、もちろん流行の傾向があるのは否定できないが、性愛描写は現代リアリズムの行き方として、次第にあからさまになって来た感じで不自然さがない。それなのに一片の法規や古いしきたりで、そこだけが特殊化され、特殊な興味の対象として考えられているのは残念なことである。だが一方、ポルノ映画が解禁になったとしても、製作の意図がやはり特殊的で、ストリップ小屋でのように男性の客しか動員できないものばかりだとすれば、なんの新文化ぞ、というほかないだろう。それにしても枠をはずすことは必要だ。そのうえで、いろいろ方策を考えればいい。

大きな流れの中から

第二次世界大戦後、推理小説は復活し、古典探偵小説への回帰と、発展的枠ひろげの傾向がさかんになった。と、評論のテーマとしてはいえるのだが、実をいうと英米で、クイーン、カア、スタウトその他の大家が輩出して、純粋推理小説の第二の黄金時代が現出したのは、まだ一九三〇年代のことだし、「赤い収穫」で登場したハメットがまた、クイーンと同時代の作家なのだから、別に戦争がペリオドになったわけでもないが、戦争で一息ついて、この二つの潮流に目ざましいものが出て来たのも事実だ。日本では、戦後の第一次ブームを利用して江戸川乱歩氏が、本すじの探偵小説をもっと大事にしなければ……という反省の実践に努力し、いわゆる本格物の尊重が以後、主流になった。

だが、探偵物の変り型で、戦後もっとも、はなばなしい出方をし、日本でも派手に受入れられたのは、ミッキー・スピレインだろう。もちろん当時のベストセラーで、その後、主人公のマイク・ハマー役の俳優を変えて、何度かTV映画にもなったが、それで見ると別に何ということはない市井のアクション探偵だ。しかし、当時は新鮮な感じがした。ポケット版の推理物の表紙に、エロチックな画が多くなったのは、この頃からじゃなかったかと思うが、そのせいか、スピレインの訳書が、はじめて出た頃は、まるでポルノ小説が出たのとおなじような反響があった。マイク・ハマーが女を裸にする場面が、書評で驚異みたいに扱われたりした。

振返ってみると、スピレインの小説は、いま流行のエロと暴力の二傾向の、先駆的あるいは予言的作品ともいえるのだが、いまの読者は彼の作品を読んで、エロも暴力も感じない、というかも知れない。世の中はかわる。神田駅裏の闇市に大鍋を据えて、さつまいもを賽の目に切ったのに、ありしたがいの野菜をぶちこんで、どろどろの汁にしたのを売る小母さんがいた。そんなものを食っても、絶望と希望が同棲していた戦争直後。いまはホテルで一万円の軽い食事をとらされ、強い刺戟だけを押しつけてくる索漠とした文章や芸能を見せられる、と嘆く人もある。だが、それもやがて変ってゆくだろう。

植物も恋愛する

乱歩氏の恋愛否定論

晩年の江戸川乱歩さんは、推理小説に恋愛描写を認めなかった。戦前の創作力がさかんだったころは、特異な性心理描写で名をなしたくらいだが、作家の質として、そういうことに好奇心が旺盛だったろうし、また当時（大衆文芸勃興期）エロ・グロ・ナンセンス（ナンセンス）という流行のパターンがあって、大佛次郎さんなども、エログロ物を書いた時代の風潮でもあったのだろう。戦後も、その方の好奇心は、かなり旺盛だったようだが、作家評論家としては本格尊重を主張し――乱歩さんはそれを彼の反省といっているが――合目的的な立場をとった。そこから、恋愛を話のツマとして使う場合は仕方がないが、推理小説には不必要な夾雑物であることに変りはない、という考え方が出て来たのだろう。

推理小説をどこまでも理知の文芸と考え、いわゆるパトスのものよりも、ロゴスのものとする昔の人らしいセオリーが、根底にあったのかも知れない。ちかごろのＳＦ

は、Sをスペキュレーションの意味に移行する傾向があるそうだが、木々高太郎氏などは推理小説も、やはりスペキュレーションまで行くものと考え、純文学よりも高い内容を持つものだ、といわれたことがある。木々さんは戦後、どこの出版社だか忘れたが、推理小説全集[*10]を引受けたとき、谷崎の「吉野葛」や鷗外の「魚玄機」などまで取入れられた。これは時期的に見ても、やはり、たいした見識である。だが、あるジャンルが隆盛になると、やたらに幅をひろげたがる傾向が出てくる。アメリカのSF編集者も、SFの意味をさかんにいじくって面白がっているようだが、名義なんてものは結局、名義に過ぎないのだから、実際にいろんな傾向の作品が出てくるのは、たいへん結構で、しかし無理にそれを集約しようとすると、過ぎたるは及ばざるに如《し》かず、ということになり、マニアの歎きも、そこにはじまる。

乱歩さんの場合は、これと反対にラディカルな立場を取って、リゴリズムを打立てようとした。だが作家は、画一化を強いられるマスコミ作家にしても、それぞれ個性のある人間だから、厳格な枠にはまってばかりはいられない。もちろん純粋な推理小説と純粋な恋愛小説が合一する場合は、まず、ないにしても、恋愛や男女関係が人生の――従って小説の――大きな要素である以上、推理小説の場合も、それに見向きもしないというわけにはいかない。それどころか夫婦間の葛藤などは実際に、よく扱われる主題なのである。

恋愛は推理小説にも可能

ジョルジュ・バタイユは――恋愛は大きな危険をともなう超己だ――という意味のことをいっているが、配偶者のある男女が恋愛衝動を起こしたとき、元来、保守的なものである結婚には波風が立ち、ひびがはいる。過去の愛情が、――それが犯罪に結びついていても、いなくても――モティフになる場合もある。古いところでは、アイルズの「断崖」[*11]、ダフネ・デュ・モーリエの名作「レベッカ」その他、読者には思いあたるものがあるだろう。こう見てくると、推理物の系統であつかわれるのは、男女関係が裏目に出た方、愛情よりも憎悪の季節で、「レベッカ」は乱歩さんも推賞していたから、先生が無用だというのは、まともで切実な愛情の表白の方かも知れない。だが、扱いようによっては、それも返って凄いテーマになる。フォークナーの短篇

*10　雄鶏社の〈推理小説叢書〉（一九四六－四七）のことだろうが、「吉野葛」や「魚玄機」は収められていない。

*11　『断崖』はヒッチコックによる映画化名。アイルズの原作小説の邦題は『レディに捧げる殺人物語』または『犯行以前』など。

「エミリーの薔薇」で、あなたは消えうせた過去の物凄いかおりだかにおいだかを嗅がなかっただろうか。一時期、日本作家のあいだに、夫婦のだましあいものが流行って、しまいには批評家が「狐狸小説」などと名をつけ、うんざりの意を表明したことがあるが、ボアロー＝ナルスジャックなどは、その専門家といっていいだろう。だが、初期の秀作「死者の中から」は、もちろん屈折してはいるが、切実な愛情をまともに描いたものであり、それが大トリックの誘因にもなり、この作品に香気を与えている。

十九世紀の異色作家ジェラアル・ド・ネルヴァルの「シルヴィ」は、文範にも載るくらい端正な文章で書かれた失恋小説で、フランスの現代作家に愛されている作品だ。わが国に紹介されているかどうか知らないが、ジル氏という探偵が活躍するシリーズを書いているジャック・ドゥクレという作家がいる。この人の作品はネルヴァル風と批評家にいわれているのだが、私はむしろ、この「死者の中から」などに、「シルヴィ」の系統を感じる。つまり、乱歩さんが亡くなってしまい、反論の余地もなくて残念だが、恋愛も立派に推理小説になる、ということである。

浮気な植物

最近は内外ともに、どうもエロスよりセックスの方が流行のようで、これを世紀末的現象と見るのは勝手だが、このエロスやセックスが全然別の分野で問題にされ、探究されているのを、ご存じだろうか。それが、なんと食糧危機の問題と結びついているのだ。地球人口の飛躍的な増加、その他の理由で遅かれ早かれ、この厖大な人類の口をまかなう食糧の欠乏は必至らしい。この面でも、人類は滅亡に瀕していることが警告される。地球家族が骨肉相食《あいは》むことになり、まず民族雑居国家で弱小民族の肉の切売りが……なんてことは、いわない方が安全だが、その前に漁獲地域の争奪などで、また戦争が起こり、地球人口が三分の一に減少、なんてのもよろしくない。このことは、かなり前からわかっていたので、人間の主食である植物の増殖に救いをもとめる研究がされて来た。

今世紀のはじめに、イギリスの生理学者ベイリスとスターリングが、十二指腸から出る化学物質が、離れたところにある膵臓の膵液分泌をうながすのを発見してから、血液に運ばれて、いろんな器官のはたらきを刺戟するこういう物質に、はじめてホルモン（ギリシア語で、刺戟するという動詞の変化形）の名が与えられた。だが、それより前から植物学者たちは、植物に同様のはたらきを持った化学物質が存在することを考えていた。（私は生化学には門外漢で、こういう話は苦手だし、読む方も煩わしいと思うから、簡単にいうと）その後、欧米、それに日本の学者の努力で、植物の生長を促進し、または制限するはたらきを持つジベルリン、オーキシン、シトキニン、それからドルミンなどの植物ホルモンが発見され、植物性食糧の生産をコントロールできるめどがついて来た。

つまり、植物生理学者オヴァベエクの結論によると、植物の生長はシトキニンのような活動素ホルモンと、ドルミンのような抑制素ホルモンのコンビネーションで決定される。ちょっと自動車の運転みたいに、反対のメカニズムの結合によって生長が起こるのだという。植物にもアクセルとブレーキが必要なわけである。で、どうしてこういう結論が出て来たかというと、アメリカのウィスコンシン大学の生理学教授フォルク・スクーグの研究班が、煙草の茎の繊維を壜の中で培養していた。はじめは、オヴァベエクが発見した未知の成長素をふくんでいると思われるココナッツ・ミルクを用いた（オヴァベエクは、この物質の抽出になかなか成功しなかった）。それから、ほかの可能性のありそうな材料、たとえば溶解性酵素などに変えてみた。スクーグの協力者のC・O・ミラーは、研究室の棚においたまま忘れられていた「にしんの精液のADN」と書いてある薬壜の中身を、ためしに使ってみた。すると、すぐに効きめがあらわれて、煙草の繊維の破片は成長と細胞分裂をはじめた。壜の中身が尽きてしまうと、同じ製品を取寄せて用いたが、さっぱり効かない。ミラーは新鮮なものを圧力釜に入れて、人工的に古くする方法を思いつき、にしんの男性はアメリカ煙草の成長に、また効果を発揮するようになった。そこで、成長素は核酸の漸減的部分（私の説明は正確とはいえないかも知れないが）である、という結論が出て、そこからシトキニン系の植物ホルモンの発見に至るのである。

スクーグの研究班は、このシトキニン、オーキシンの組合せを煙草の繊維の成長に利用し、根、茎、花までも思いのままに成長させることに成功して、従来の、植物の器官別に特殊のホルモンが単一効果を持つ、という説を覆えし――植物の生長と分化は常に二割以上の成長素の複合的効果に限定される――ことを明らかにした。これが更に前述のような結論に導かれるのである。（お疲れさま……）といっても、これだけの説明では、よくわからない人が多いだろうし、ひょっとしたら、あなたは専門的知識豊富で、有機酸のことなども、私などよりずっと、お詳しいかも知れないが、とにかく、あまり長く話してもいられないから、興味のある方は自分で勉強して頂きたい。問題は――自然化学者は怒るか苦笑するだろうが――こういう植物の起こす作用から、むこうのジャーナリストのある者が、植物の恋や性を仮想させていることだ。まさか北海魚のオスに魅惑された亜熱帯植物娘なんていうわけでもあるまいが、わるふざけだと怒らずに、私達のエロスやセックスの根元を考えてみる必要もあるのではないか。エロスのファクターにも成長と分化の役目が、たしかに考えられるようだ。

動物成分に植物が刺戟されるのは、自然界の浮気、化学的にとらえられた浮気、といえないこともない。その浮気が人類の食糧増産に役立てば（にしんの精子は嗜好品の増産に役立った）これはたいへん、ありがたいことである。早期人類滅亡論者は、この生物学者や生化学者の真率な努力も、それを助成する政策や、その他の管理、増産に関する施策も、すでに手遅れで、とうてい間に合わない、という。たしかにシトキニンの分離に成功したのさえ、まだ近年のことだ。が、道は拓けている。そう悲観ばかりしないで、大いに期待し、みんなで努力しよう。パニック回避の道は、いろいろあるはずだ。

木々高太郎さん（大脳生理学の林髞《たかし》博士）は、人類が恒久の平和を保ち、幸福に発展するためには、大脳生理学の進歩を待つほかはない、という意味のことをいわれたことがある。先生はよく、結論を先にいう人だったから、よくわからないのだが、とにかく、これも滅亡論者にいわせれば、間に合わないものの最《さい》たる、ひとつかも知れない。木々さんは晩年、オットセイのホルモンの製造を企画されたらしい。しかし、どういう結論によるものだったかは、私も知らないのである。

美人郷の不美人

美食と美女と

美食と美女は男がかれらの尊厳のために思いついた観念かも知れない。だから、美女の典型には権威の裏づけがある。標準は典型とは違う。標準は典型によって、きまる。だから典型は変らないが、標準には動きがある。日本美人の典型は日本人形にしめされている。人形が動きだしたら、人間はとてもかなわない。私達が文楽を見て、陶然とするのは、あたりまえである。

だが、最近のマネキン人形は、ファニー・フェースだ。和服用のは、日本人形のイメージで、典型美にしばられるが、洋裁屋の柳でつくった胴体形の籠から発達したマヌカンは、現代人の嗜好に準拠する。

突拍子もない独創的な美貌なんてものは、ありえないのではないか。ファニー・フェースにしても、典型の複合からくる歪《ゆが》みに、魅力があるので、やはり標準はあるようだが、典型からの距離が、かなり遠くなり純粋度も稀薄になっているのは事実である。

顔の好みが複雑になったため、ボディの方に規準をおく企《くわだ》てが、ちかごろの美人投票などでおこなわれる。ヨーロッパでは北と南、背の高いスエーデンと幅のひろいイタリアから、荘麗豊満、瞠目的《どうもく》なクラシック美人が出るが、あまり大衆の嗜好に合わないのか、映画スターでも、モンロー、バルドー、ロロブリジータなど、一級の肉体女優のわりには大柄でなく、中ぐらいの美人が多い。

虞《ぐ》美人や楊貴妃を出した中国でも、清朝頃の古書によると、美人の第一条件の容《よう》、つまり容姿には、中肉中背を挙げている。誰にも快感を与えて、あきのこない顔かたち、趣味がよく、教養の高い男達に大事がられるようなのが美人とされている。これなど、やはりかなり複雑な要求を基礎にした標準美人だろう。絶世の美人とか、傾国の美とかいうのとは、ちがう。

お人形のような美人が倦《あ》きられて、個性美人が表通りを闊歩するようになったのは、人権尊重のおかげらしいが、伝説的な超美人も、ちがう形で、やはり個性的な美人だったと考えられる。

楊貴妃は郷土の美人リサーチで見出され、当時の主権者が親子で取りっこをしたほどの、魅力の持ち主だが、楊柳腰《やなぎごし》の清朝美人や、金蓮の上を歩いたという潘妃《はんき》の繊細とちがい、豊満で、あくの強い、むしろ野性的な美貌の持主だったのではなかろうか。といっても、歌舞音曲に秀《ひい》で、新時代の女の魅力を身につけた、当時のモダン・ガールではあった。

モダン・ガール（詰めてモガ）という言葉が流行《はや》ったのは、昭和の初め頃だったと思うが、モガの代表みたいな映画スターの、クララ・ボウやルイズ・ブルックスは、戦後のモンロー、バルドーなみに、やはり一世を風靡したけれども、今から考えると、素朴で未完成な美人だった。

楊貴妃のような美女も、時代が変れば、ただのモガに過ぎなくなるのかも知れない。大正の頃、上海《シャンハイ》に「賽楊妃《さいようき》」と仇名される女がいた。やはり楊という姓の中産階級の娘で、十六の年、ある夕まぐれ、家の前で弟といっしょに人通りを見ていると、周という男が通りかかった。周は彼女を一目見ると、水を浴びせられたように、ぶるぶるっとふるえ、すぐにある婆さんに頼んで、彼女の両親にかけあわせ、とうとう口説《くど》き落として、妾の一人に加えた。

ほんものの楊貴妃の肌の美しさは、唐の詩人、白居易《はっきょい》の長詩で有名だが、この賽楊妃の肌も雪のように白く、なめらかで、ぽってりと肥えていたから、彼女が周さんの思いものになって世間に出ると、誰いうとなく、この仇名が、ぱっと拡まった。彼女は外出好きで、午後になると必ず出かけて、盛り場をまわり歩き、真夜中にならなければ帰ってこない。

周も彼女の気まかせにして、上海中の娯楽場の回数券を買って、持たせておく。周は清《しん》代の小説「紅楼夢」の主人公の宝玉《ほうぎょく》みたいに、女が顔に塗った臙脂《えんじ》を、舐《な》めるのが好きだったから、彼女は頰や唇にそれをこってり塗りつけて、いつでもお役に立つようにしている。主人の派手好きなのを知っていて、衣服は、もっぱら色の濃いものを用いた。

こういうふうに、若作《わかづく》りの厚化粧《あつげしよう》ではあったが、彼女が新聞ダネになった三十二歳の時でも、ちょっと見には、十七、八歳の少女にしか見えなかったという。

彼女は打撲克《トランプ》が好きで、一日でもやらないと病気になる。煙草は日に、スリーキャッスル一箱。ある俳優と仲よくなって、密会所をこさえたり、若い文士のパトロンヌになったり、毎月、衣食費のほかに五百ドル以上も小遣をつかう。贅沢で我儘《わがまま》だが、性質はおだやかで、どんなことをいわれても怒ったことがない。ただ、泣き声が大嫌いで、周の正妻は三年前に死亡していたが、たとえ、その子供でも遠慮なく、泣きやむまで打叩く。

外国の服装がきらいで、他人がそんななりをするとあざ笑う。そのくせ、男装好きで、金縁眼鏡にカンカン帽という恰好で、遊戯場などに現われると、金持ちの妻妾や芸者などが、見惚れて溜息をついたという。

清《しん》国滅亡後、その最後の皇帝の宣統帝（後に満洲国皇帝となり、東京裁判にも証人として出廷した溥儀《ふぎ》氏）は上海に身を寄せていたが、彼が再び帝位につくという噂が立った時、彼女はたいそう喜んで、

「そうなれば、うちの主人も官吏になって、金もうけをする」

と、会う人ごとに吹聴《ふいちょう》した。周はそれを聞いて、ひどく得意だったというが、多少の知識があり、上《うわ》っ面《つら》だけでも政治に関心を持ったりする点、モガの先駆者たるに恥じないだろう。

ねんごろにした俳優には、ほかの女とくっついて逃げられ、ごひいきの馬丁には、計一万元の貴金属類を持ち逃げされたり、彼女は結局、好人物だったようだ。

古典美人

中国では、大むかしから美人の条件に、むずかしい注文をつけた。詩経の衛風にも螓首蛾眉《しんしゅがび》とうたわれているが、螓首は蟬の頭部の恰好で、広い角びたい。これが長いあいだ中国婦人の容貌美を規定した。では、近代美人はどんなのかというと、よく中

華料理店の壁にかかっている石版画の中の女が、代表しているが、顔の形は、鵞蛋臉《がたんけん》といって鵞鳥の卵形が最上、次が瓜核形《うりざねがた》に松の実形、蟹殻《かいかく》（かにの甲羅《こうら》）のような横ひろがりや、田字《でんじ》（田の字）のような正方形は最下等とされる。

これは日本でも、だいたいそうだが、額はやはり広い角びたいで、日本髪の必須条件だった富士額《びたい》とは大違いである。しかし現在では双方とも、こういう顔の枠は、とりはずされてしまったようだ。

婦人道徳がやかましくなった近代中国では、乳の大きいのは淫婦の相《そう》だといわれ、抹胸《まっきょう》というものを用いて胸を圧迫し、男の乳のように扁平なのを尊重するという、ばかな風習がおこなわれた。だが、むかしはやはり豊腴《むっくり》したのが、いいとされ、楊貴妃のまんまるで剝《む》きたての鶏頭《とうが》の肉のようなのが、絶品とされた。貴妃は豊満な美人だといったが、からだも、そう小さくはなかったようである。が、ずんどう形ではなかったろう。

小柄と細腰《やなぎごし》は、むかしから中国人の好みだった。楚の王が細腰を尊んだため、その国の美人が減食《ダイエート》したことが管子《かんし》に出ているし、梁《りょう》の張浄琬《えん》という舞姫は、腰まわりが五〇センチ弱しかなかったという。腰から下に行くと、中国には有名な纏足《てんそく》という奇習があったし、とても僅かの紙面では書き切れない。

　ところで、こういう美人の条件というものは、女の魅力とはあまり関係ないかも知れない。前記の周さんにしても、品さだめの末に、賽楊妃を掘りだしたわけでなく、女になりかける、いわゆる開花期の光るような美しさに眼をみはったのが、病みつきだった。彼女がそれからの長いあいだ、周の執着をつなぎとめておく場合にこそ、上流の男が好む美人の条件を意識的に必要としただろう。

　見染める、という古風なことは、いまでもあるようで、時たま、そんな話を聞く。それも多くは、開花期の女が対象になっているようだ。私も戦争中、台湾の台南州の広漠とした砂糖黍《きび》の畑の中で、ぼろぼろの野良着に台湾笠をかぶった、すばらしい美女に出っくわし、炎暑にやられた以上に、ふらふらした記憶がある。

　この甘蔗《カムチヤ》刈り乙女は、むかしの首都のお膝もとに生れたわけだから、あるいは大明貴族の末裔《まつえい》かも知れず、この空想は、平家の落武者よりは確実性がありそうだが、とにかく野生の中に典型が埋れている美しさは、なんとも魅力的だった。私が思うのに、こういう瞠目《どうもく》的な美人は、もう都会には、いないのではないか。片田舎へ捜しにゆくほかは、ないのではなかろうか。

　パリ周辺のイル・ド・フランスは、昔から声のいい美人の産地とされているが、やはり条件的な要求が多くて、中庸化されてしまっている。純粋のパリっ子は小粋だが、体格は中世的だ。京都や東京も、その意味では同じだろう。関東風の骨相のはっきりした美人が、京都なまりを駆使して、はやっていた酒場が、銀座にあったが、こういうのは、カクテルみたいな調合美人である。

台湾の代表的な美人郷である新竹州の桃園でも、私は抜打ち型の美人に出会った。街の茶商には、剝げちょろけの金看板の下に、包種茶《ほうしゅちゃ》に混ぜるジャスミンの花のような娘が、いつも立っていたし、そこから台北市に到る村道には、まるでボッチチェリのヴィナスのような若い女が、裸足で歩いていて、人に聞いたら、薬屋の牽手《かみさん》だった。

埋れた美しさは、それ故になお美しい。天成の美とは、まさにこういうものをいうので、昔は見出されて天子の寵を受け、それが中原を震撼させる大事件の因《もと》となったりしたのだな、などと感慨をもよおして、もったいないような、はかない思いがしたものである。

村の娼婦たち

台湾はつまり、大げさにいえば、まだ野《や》に傾国の美人のいる土地だった。桃園ばかりでなく、台北市の周辺の田舎にも、さすがにきれいな女が多かった。そして美人郷といわれるようなところには、そのせいか売春の習俗がさかんだった。私が戦後、転々とした大都市周辺の部落で、にわか娼婦の出没しないところは、なかったといっていい。

終戦とともに、自由の気がどっと漲《みなぎ》り、こんな村落でも、廟の裏の空地などに、カーバイトをともして、ドコドコジャンジャンやかましい祭の囃子の稽古を、毎晩のようにやっていた。ところが電灯の設備が少なく、表通りの商店や、急に増えた飲食店のほか、民家には正庁《せいちょう》という入口の広間のほかには、ほとんど電灯がつかない。

こういう家が、にわか娼家で、近所の女を集めて正庁で顔見世をやり、灯火設備のない部屋を貸す。いくらなんでも、はじめから真暗では、どうにもならないが、こういう私室には壁際に、帖案《テアプアヌ》という高い卓が据えてあって、その上においた線香立てに、線香がまとめてさしてある。

この線香の微光をたよりに支度をするのだが、いざという時には、線香がほとんどたってしまい、真の闇になるから、味気ないばかりか勝手がわるい。潔癖な人間には、気色がわるくて、やりきれない。「帳中の電灯、月の如し。繊細《せんさい》を照しおわって白玉の瑕《きず》なし」というのは美女の形容だが、どこがどんな恰好をしているかもわからない相手では、薄気味わるい。もっとも、ここまでくると、美人の標準などという高尚な問題には遠くなるが、行為に及ぶ土壇場でも、何も刺戟がなくては興がない。

いったい何がいちばん男に、セクシーな刺戟を与えるかという研究の種目がある。女の研究では「ダーム・ギャラント」という名著を書いたブラントームなども、この問題に触れている。この人は十六世紀のフランス貴族で、僧職にもついていたが、知合いの貴婦人達の逸事を収録して、それらの生態を見事に描きだした。

ブラントームは視覚《ビュー》、聴覚《ウイー》、触覚《トウシエ》の三つの感覚のうち、どれがいちばん刺戟的かという点を実例を挙げて論じているが、その中には、暗闇で女と寝る話も引かれている。視覚を断たれても、聴覚、触覚が残る。耳からくる刺戟は嬌声《きょうせい》、囈語《げいご》。これはテープレコーダーの愛用が流行しているくらいだが、中国の文人は「幃中音浪《いちゅうおんろう》」という。寝台の響きである。だが、眼をふさがれては、なんといっても勝手がわるい。暗闇で煙草を吸っても、うまくないから、ふしぎである。それに、ひとり合点《がてん》の失敗もやりかねない。実は、私にも、ばかげた経験がある。

やはり台北周辺のある部落でだった。ここには思いがけないほど荘麗な廟があったが、それでなく、もうひとつ質素な、戦争中は野菜市場にされていた廟があって、その裏に一軒、門の前側に一軒、例の商売をやる民家があった。ある晩、廟裏の家の方へ、仲間と四人連れで出かけると、その家の牽手《かみさん》と娘らしいのが、家の前に縁台を出して涼んでいた。

一方に廟の高い壁がそそり立っている狭い露地の中だから、その女達の目鼻だちも判らないほどに暗い。家にはいると、正庁にだけ石油ランプが吊りさげてある。間仕切りには、アンペラが張ってあるだけなので、正庁の両側の部屋にも、あかりが洩れている。そのあかりがたよりで、線香も立ててない。

その家の婆さんが女を集めに行ったが、なかなか帰ってこない。やっと一人、平べったい顔の少女が来て、仲間の一人を部屋に咥《くわ》えこんだ。すぐにまた一人薄物の長衫《ツンサア》を着た小ぎれいな年増が来て、となりの部屋の眠床に、ごろりと仰《あお》のけになり、裸の膝を立てる。妙に屈託がない。仲間がハッスルしたので、私は譲ってやった。

また一人くると、部屋は正庁を入れて三つしかないから、ランプが消され、私は追い出される。牽手《かみさん》と娘が外に出ていたわけが、わかった。あぶれた私は仲間達のすぐ終るはずの行為を、縁台にかけて待つことにした。ところが、暗くて顔の見えない娘と、鼻を突きあわせて、よく通じない話をしているうち、私はだんだん妙な気持になって来た。

声のかわいらしい娘で、前出の声覚刺戟《ウイー》の類だが、急に、これは素晴しい美人なのじゃないか、という気がして来たのである。眼をこらして見ると、美しい顔だちが、おぼろげに浮かんでいるような気がする。むらむらと野心が湧いて来た。

「ねえ、きみは商売しないの？」と、きいてみる。娘は答えない。にやにやしているらしい。二、三度おなじ質問をくり返すと、牽手《カンチユー》が助け舟を出してくれた。

「この子は、まだ経験ない。でも、その気があればやらしてもいいよ」

それから娘に台湾語で何かいったが、娘はやはり黙っている。そのくせ縁台から去りもしない。私は妙に興奮して来た。娘の息使いの荒くなってゆくのが、わかる。娘らしい体臭が、におってくるような気もした。間もなく仲間が家から出て来たので、私もいっしょに帰ってしまったが、へんに心残りだったのは、いうまでもない。

翌日、用事にかこつけて、その露地を通ると、前の晩の牽手《かみさん》と娘らしいのが、そこにいて、さいわいむこうでは私に気がつかなかった。娘は嚙んではきだしたような不美人で、おまけに片脚がまがっていた。

ここらでお茶を……

喫茶風俗

歴史の古い紅茶と緑茶

友達とおもてで出会ったとき「お茶でも飲みましょうか」という。この合言葉みたいなものが、いつごろから使われだしたのか、ことさら考えてみたことはなかったが、そんなに古いことではないはずだ。古くないといっても、もう半世紀ちかくにはなるだろう。

ちょうど昭和のはじめ頃から、東京を筆頭に、その他の大都市でも、いまあるような喫茶店が、出来だした。銀座通りに、パンや洋菓子の売店のおくにテーブルをならべて、コーヒー、紅茶、ココア、アイスクリームなどを出す大きな店が出現したのはその頃で、それ以前にはなかったものだ。

それより前から銀座通りに、台湾茶房というのがあったのをおぼえているが、純粋の喫茶店といえるのはそこぐらいのものだった。

家庭の飲物としては、コーヒーよりも紅茶の方が早くに知られた。もっとも日本では、昔からお茶（緑茶）を飲んでいた。お茶の木は東洋の原産で、日本で飲用がはじまったのは中国の影響だ。鎌倉初期の人で京都の建仁寺の開祖の栄西禅師が、中国の宋から茶の種を持って来て栽培をはじめた話は有名だが、茶はツバキ科の常緑灌木で、日本にも原種があるようだ。

喫茶という言葉は、中国の禅書などにも出てくるが、むこうでもその宋の時代あたりにさかんに流行したらしい。中国でもそれほど古い習慣ではない。

製茶には、大きく分けて二種類ある。紅茶に緑茶だが、緑茶の方は日本独特の製法で、煎茶と抹茶に分かれ、そこからまた茶の湯などというどえらい格式のあるらしい風俗が出て来たほど、たいへんに発達した。だが、日本から一歩、外に出ると飲茶は全部、紅茶なのである。

紅茶というのは煎汁の色から、つけた名で、世界的には製茶の色をとって黒茶（ブラック・ティーなど）という。中国でも東南アジアでも、これに熱湯を注いで飲む方法は同じだが、茶器などにいろいろ工夫があって民俗的なおもしろさを感じさせる。

日本に最初にはいって来たのも、この飲み方のひとつで団茶という形式だった。だが日本の製茶法は、その系統を継がずに、緑茶という独得のものを創りだした。

この日本のお茶という素晴らしい飲み物が、何故、世界的に流行して製茶がもっと重要な輸出物資になっていないのか、私にはわからない。そうなれば日本の陶器なども、もっと自然な形で外貨獲得の分野をひらいていたわけだ。それは日本人の嗜好の特殊性のせいなのか。それとも対外宣伝に不熱心のせいなのか。

ミシェル・ジョルジュ・ミシェルというジャーナリスト出身の作家の「レ・モンパルノー」という小説の中に、藤田嗣治がアトリエに訪ねてくる人達に、ていねいにお茶をいれて出すところが出てくる。

コーヒーの人気がパリで高くなったのは、トルコ大使館の客のもてなしが、きっかけになったようだが、日本の大使館でうまいお茶を出すというような心づかいが、あったかどうか。日本のお茶は世界的に、長期にわたってマニアを獲得できる、すぐれた飲み物だ。いまからでも遅くないと思うが、誰か苦労してやってみる人はいないものか。

紅茶が、はじめてヨーロッパにはいったのは一六一〇年で、中国産のお茶をマカオから船で持って行ったのである。一六一八年には隊商が天山路を通って、ロシアに運んだ。パリにはいったのは一六三六年。当時ロンドンにはもう、お茶を飲ませる場所があった。

フランス人は何にでも先鞭をつけるが、同時に、何でも新らしいものには一応、待ったを食わせる国民で、紅茶の可否に関しても、かなり長い間、医学的な論議がおこなわれた。だが、そのあいだに熱心な愛好者が増えて行った。この時代はフランスの王朝の最盛期だが、太陽王ルイ十四世に侍医が紅茶をすすめたのは、一六六五年だというから、紅茶の普及にも、ずいぶん時間がかかったものだ。ルイ十四世は晩年、シャム（タイ）大使から黄金の急須を贈られているが、王の喫茶は生涯続いたらしい。

当時を代表する女流文学者の一人セヴィニェ夫人の記録によると、ルイ十四世の祖父アンリ四世の王妃マリ・ド・メディシスの女官だったサブレ侯爵夫人が、一六八〇年頃、はじめて紅茶に牛乳を入れて飲んだ、という。それから十年後にセヴィニェ夫人自身も、コーヒーで、これをやっている。紅茶やコーヒーにミルクを混ぜることをはじめたのは、このルイ王朝のおばあちゃん作家達だったのだ。

シナ茶には、ジャスミンの花の乾燥したのを混ぜたのがある。中国の茉莉花茶、台湾でいう花包種茶だ。お茶に花のかおりをつける風習も隊商路を通ってロシアやバルカンにはいったのか、東ヨーロッパにも菊科のカミツレの花の乾したのを入れて飲む習慣がある。紅茶に牛乳とカミツレ・シロップを入れた飲物をバヴァロワーズという。

コーヒーの原産地はエチオピアということになっているが、アラビアでは十五世紀から知られ、十六世紀には回教圏の地域全体に普及した。十七世紀の中頃になると、マルセーユの商人が西アジアから持ち帰って使用したり、ある西アジア人がパリで小売りをやって、うまく行かなかったなどのこともあった。ルイ十四世も、その頃はじめてコーヒーを飲んだといわれている。だが、パリで本格的なコーヒー喫茶がはじまったのは、一六六九年だった。

この年、オットマン・トルコのサルタン、マホメット四世が、ソリマン・アガを大使としてルイ王朝に派遣した。このトルコ大使は自国の習慣どおり、来客があると、コーヒーをいれて出す。それが評判になって、しまいにはパリの全市民が大使に招かれるのを希望するようになったという。だから、パリでほんとうにコーヒー熱が起こったのは、この時だといわれるのだが、当時のフランスでは、コーヒーの入手はまだ困難で、すぐには普及しなかった。

コーヒーが中欧で知られるようになったはじまりは、一六八三年、トルコ軍のウイン包囲戦の時である。南欧の神聖連盟とトルコの戦争は、ずいぶん長いこと続いたのだが、この一戦が大オットマン帝国敗亡のきっかけになった。

トルコは当時バルカン半島を圧えていて、ハンガリアもその領土だったのだから、オーストリアの鼻先まで、トルコの手が伸びていたわけだが、この包囲軍からウインを救ったのは、戦争に介入したポーランドのソビエスキ（イアン三世）の軍隊だった。包囲軍の司令官はオットマンの主相カラ・ムスタハ。勝ちほこったソビエスキ麾下の兵は彼の陣中になだれこんで、そこで袋詰のコーヒー豆をたくさん見つけた。だが、かれらはまだコーヒーというものを知らなかったから、それを、とうもろこしの類とまちがえたのである。

そのとき、コルシスキというポーランド人で、長いあいだトルコ軍の捕虜になっていて、コーヒーのいれ方をおぼえている者があった。この男が戦利品のコーヒーを使ってウインの人達に飲ませると、たちまち愛好者ができた。

その後、コルシスキはウインとその附近、及びポーランドに十軒ばかり店を持ったらしい。

こういったエピソードでもわかるように、ヨーロッパではじまったコーヒーの飲み方は、トルコ風のいれ方だ。豆を焙ってから砕き、熱湯で煮る。それぞれの過程で使う道具は進歩して便利なものができたけれども原則的なやり方はかわらない。

いまパーコレーターでやる、コーヒーを煮ないで何度にも熱湯をとおして出すやり方も、ギリシア風という名で、十八世紀には、もう同じプロセスが考え出されていた。

的中しなかった才女の予言

コーヒーもフランスでは、はじめ識者や専門の医学者から、さんざんケチをつけられた。特に生殖器官に害がある、といわれた。不妊の原因になったのでは、女性に歓迎されるわけがない。いつ、どこの社会にも新らしいもの、新らしい傾向に眼を光らすウルサ型がいて、それがたいがい偉い人だから、やはり影響力がある。

セヴィニェ夫人もその影響でこの流行は長続きしないだろう、といったが、どっこい、さすがの大才女の予言も的中しなかった。

セヴィニェ夫人自身は、コーヒー嫌いではなかった。一六九〇年、彼女は寡婦の侯爵夫人だったが、領地のロッシェから、グリニャン氏に嫁いだ娘のもとへ書き送った手紙の中でコーヒーの害を牛乳で中和することを、すすめている。

「わたくしたちは、ここに良い牛乳と良い牝牛を持っています。わたくしたちは、良い乳からクリームを除いて、砂糖といっしょに、良いコーヒーに混ぜる思いつきをやっていますが、これはたいそうよいもので、四旬節には大きな慰めになることでしょう。医師のデュ・ボアも、胸のやまいや風邪にも飲んでよいと、いっています……」

当時は紅茶もコーヒーも貴族の飲物だったが、紅茶とコーヒーの大きな風俗的なちがいは、お茶の方は次の十八世紀になっても貴族社会の飲物にとどまっていたのに、コーヒーの流行はあらゆる階層に浸透したことだ。

いまのパリで、朝の飲物になっているキャッフェ・オー・レー（コーヒーに同量の煮立てた牛乳を混ぜて飲む）は、この時代にはじまった労働者の食習慣で、かれらは朝食のかわりにコーヒーのがぶ飲みを好んだ。

上流の婦人達も有名なコーヒー店の前に馬車をとめさせて、銀の受け皿にのせて運んでくるコーヒーを車の中で飲んだ。ドライブインのはじまりと、いっていいかも知れない。そういうわけで、フランスでもコーヒーの飲用は、学者の警告を無視して加速度的にひろまった。有名なインド会社のコーヒー販売量は、十八世紀のおわりには二百万ポンドに達している。

コーヒーの栽培は、ルネッサンス以来がめついので有名なオランダがながいあいだ独占していた。バタビア（いまのジャカルタ）や南米のガイアナの植民地でやっていたのだが、フランスが手を染めたのは、アムステルダムの市長パンクラスが、ライデンの植物園からルイ十四世に、たった一本のコーヒーの木を贈ったのが、きっかけになっている。それがパリの植物園で繁茂した。

一本が六年で二〇〇本に

一七二〇年に海軍士官のデ・クリウーが委嘱されて、その挿木《さしき》を一本、カリブ海のマルチニカ島まで持って行った。彼はその木に水をやるために、自分の飲料水の割りあてを、さいたという。

これが六年後に二〇〇本になった。マルチニカとフランス植民地の大部分のコーヒーは、この一本から生じたのだ。そこで植民地では感謝をあらわすために、デ・クリウーに終生年金をおくった。

これより前にインド洋の、マダガスカルの東にあるフランス領ブールボン島（いまのレユニオン）でも、コーヒーの栽培がはじまっていた。この島にはコーヒーが自生していたのだが、誰も知らなかった。アラビアの紅海の入口にちかいモカから、ここへ来た船の中に、物好きな人が花の咲いたコーヒーの枝を保存しているのを、土人が見て、おらが山ン中に生えてる木とおんなじだわ、と気がついたわけだ。

それから、モカから木を取りよせて栽培がはじまり、一七七六年には島のコーヒーは八、四九二、〇〇〇本に達した。フランス領ガイアナのカイエンヌでも、オランダの警戒網をくぐってオランダ領の原木を手に入れ殖林に成功した。

コーヒー狂では史上の名士で私達の先輩がいくらもいるが、プロシヤのフリードリッヒ二世（フレデリック大王）なども、その一人だ。ナポレオンが手本にしたというこの王さまは、自分でもコーヒーの飲みすぎに気がついて、その悪習をなおすために、ヴォルテールによると、次のように宣言している。

「今後わしは、朝七、八杯、夕食後はコーヒー沸かしに一杯しか飲まないことにする」

　このフリュートの名手だった王さまには、もうひとつ、シャンパン酒でコーヒーを沸かして飲むという、へんな癖があったそうだ。

　現在ではブラジルが世界一のコーヒー生産国で、品質も多様、いろんな原産地の名をつけて売っているが、もちろんブラジルでつくったものだ。中米産は色が薄く香りが高いので、コーヒー好きには喜ばれる。

　アメリカ生まれのココア

　ココアはアメリカの原産だ。メキシコを占領していたスペイン人が、原住民からおそわった製法を完成すると、本国のスペインでは、たちまち熱狂的な流行が起こった。フランスにはいったのは、スペインの王室からルイ十四世に嫁いだマリア・テレサが、持って行ったのだといわれているが、その前からフランスでも知られていたらしい。

ココアは飲物の場合でも欧米ではふつうチョコレート、ショコラなどという。日本ではココアは紅茶やコーヒーのように、流行しなかった。むしろ板チョコやボンボンのような砂糖菓子としての加工が、さかんになったが、こういうものは十九世紀以後の発明である。

コーヒーでも板コーヒーや砂糖豆の類がつくられたが、この方は伸びなかった。ヨーロッパの市場でも、物質の流通が時代と共に変化して、お茶の栽培が一八三四年にインドで、一八七六年にセイロンで、はじまると、それまで独占的だったシナ茶は、逆に市場を失うことになった。いま中国政府は、製茶の輸出の回復に努力している。

アイスクリームは世界的に現代の流行嗜好品だが、いまのような形式ができたのは、これも十九世紀以後だ。

近代の氷菓子の元祖は、いまでもパリにあるプロコープの店で、ここは喫茶店《キャッフェ》の元祖でもあるが、シシリー島出身の創立者が郷土に伝わるシャーベットを、つくって出したのが最初だといわれている。

パリで氷菓子が大流行

クリームを使ってつくった最初は一七二〇年に、このプロコープが、コンデ公がシヤンチイーでやった祭典の、飲物のサービスを請負った時、ホイップ・クリームを基材にしてつくりだした、まったく新らしいもので「グラース・ア・ラ・シャンチイー」と呼ばれて大流行した。

その頃はパリでも、グラース（アイスクリーム）は夏だけしか売られていなかったが、一七五〇年から、プロコープの後継者のデュ・ビュイッソンが、一年じゅう出すようになり、彼の競争者はみな右へならえした。

シャンチイーの次に出来たのは卵を使ってつくる「フロマージュ・グラッセ」というもので、これは卵と牛乳を合わせて煮たクリームを凍らせる式の、アイスクリームの原型だろう。

一七七四年には、当時パレー・ロワイヤルにあったキャッフェ・デュ・キャヴォーで、はじめてアイスクリームの型つけがおこなわれた。シャルトル公爵（後にルイ十六世に反対して平等のフィリップといわれた人物）に、彼の紋章の模様をつけたクリームを出したのだ。一七七九年には、同じ店でリキュール入りのグラースが、はじめてつくられた。

アイスクリームの型つけというのは、結婚式の披露宴に出すボンブ・モン・フジなどのようなもので、あれは生クリームを主材に、富士山の型に入れて、かためる。ちかごろは一人前のアイスクリームでも、デシャップで丸く取ったのを、クープに盛って出すのが流行しているが、私の子供の頃、東京でアイスクリームがはやりだした頃はそうではなかった。

浅草公園の野天で売っていた、レモンのエッセンス入りのシロップを凍らせたシャーベットも、家の近くにあった立田野のあづきアイスも、へらですくいとって、足つきのガラスのコップのへりに立てかけるようにのせていく。バタクリームを、ひっくり返したプリン型の底に絞り出しながら、ばらの花を構成するのにちょっと似ている。シャーベットの薄い壁が山の峰のように、相互によりかかって屹立し、コップの中はほとんどからっぽである。これを、さじなど使わず、まわりからなめてゆく、しゃれた食べさせ方だ。映画館の中売りの「えー、アイスクリン」も、かなり後まで、この形式だった。一時期、すごく流行したスエーデン式という機械でつくる、ソフト・クリームのよさも、コーンカップの上に絞りだして、いきなり口に運んで食べるところにあったようだ。

レストランでデザートを注文すると、デザート・スプーンという大きなさじを持ってくる。特殊な器を使ってない限り、アイスクリームでもプリンでも、このさじで食べる。フランスでも日本でも、このしきたりは同じだ。

このさじはスープさじと別に変りがない。

こういうのを、ひっくるめてフランスではキュイエ・ア・ブーシュという、口に運ぶさじ、という意味だ。小さじは、殻つき卵を食べるソルト・スプーンのほかは、直接すくって口に持ってゆくのには、使わない。

はじめて結婚の披露宴に出て、ボーイが切り分けてくれたモン・フジを、大さじで食うのに、とまどう人もあるが、大きい方が粗相がないともいえる。

同じクリームでも、パリ名物のパルフェーという、一人前の細長い型でかためて、皿の上に塔が立ったみたいに抜きだしたのなどはデザート・スプーンでいじると〝鶏頭を断つに牛刀を用いる〟といった感じだから、これは小さじを使う。実をいうと、これも直接、口を持ってゆきたいしろものだが、女の人はやめた方がいい。別の方のフランス名物と間違われるといけない。

日本の女の人は、あまりにも上品に物を食べようとしすぎる。そのため、やたらに道具を使いたがるが、若い人などは、ほんのすこし野性がにおうようなのもいい。

ケーキにフォークを使うのは、にぎり寿司を箸で食べるようなものだが、この頃は寿司に箸が常識になってしまったし、この頃のケーキは、とても指を使えないような、べたべたしたのが多くなった。しょせん人間は道具を使い、しまいには道具に使われる運命なのだろうか。

デザートの話――ある講演会の記録から

デザートいまとむかし

一口にデザートというけれども、具体的にデザートとは何か、はっきりした観念を持っている人は、すくないのではないでしょうか。

宴会の時など、スピーチはデザート・コースに入ってから、などというが、これはもちろん、料理が出尽したあとコーヒーや紅茶に菓子や果物が出てから、参会者が立ちあがってテーブル・スピーチをはじめることをいうのです。

ここでコースというのは、魚、肉、野菜などが引き続いて出て来る食事の流れをいうので、デザートはその中の一つのポイント、しかも最後に来るポイント、楽符でいえば終止記号といった風に、考えられているわけです。

この考え方は、だいたい正しいといって、いいでしょう。西洋の本格的な食事は、フランス式ですが、そのコースは、先ず、冷たい前菜（オルドウヴル）又はスープが運ばれ、次に魚、肉、ロースト・チキン、サラダ等の順で出て、それからアントルメ

（プリンやアイスクリームなど）、最後にデザートとなるわけです。

デザートは英語ですが、これはフランス語のデセール（Dessert）から出ていて、この言葉は食事の終りを意味します。

ところが、いまいった食事のコースは、十九世紀にパリではじまり、それが近代生活にマッチしたせいか、今日まで西洋風の食事法として世界的に行われているのですが、食卓の慣習としては決して古いものではありません。フランスでも、この方式が一般化するまでは、この現在おこなわれている、料理を一品ずつ運んで来て、とりわけて食べるという方式は、なかったものです。

十九世紀以前には、どうだったかというと、料理をいっぺんに運んで来て、テーブルがふさがるほど、いっぱい並べて食べたのです。外国映画の時代物などに、そういう光景が出て来るし、ちょうど、中華料理の食卓と思ってもらえば、いいでしょう。

もっとも、その頃でも多少の順序はありました。フランスの古文書として残っている、古い時代の宴会の献立書（ムニュ）などを見ると、現代では想像もつかぬほど、多量の食品が出されていたことがわかりますが、そういう関係から、その頃の順序というのは、つまり一卓ずつ変えて行ったのです。卓をふさげていた料理が食べつくされたところで、容器をさげ、また一卓分はこんで来るといった具合だったのです。

そして、これがだいたい四段階に分けられ、最後の食卓を飾る品々が、デセールといわれていました。

その頃の食品を出す順序は、今日ほど厳格ではなかったのですが、現代のサービスの順序も、やはり往時の出し方を、だいたい踏襲しているのです。というと、ちょっと矛盾するように聞こえるかも知れませんが、つまり、昔の方法を取捨選択しているといったらいいかも知れません。

以上のような事情で、むかしのデセールは、かなり広い食品をふくんでいました。現在でも、まだデセールという言葉は、かなり広い意味に使われています。

日本では、デザートというと、甘味をさすことに限られていますが、アントルメもデセールも、昔から甘い物ばかりではありません。むかしは野菜料理やパイ類（から味のもの）も、この中にふくまれていたのですが、フランスでも、今ではほとんど、そういうものは他のコースに分類されてしまったようです。

現在いうところのデセールとは何かというと、冷肉と野菜の出たあとの、甘味のコースです。ただし、チーズはこの中に入ります。

デザートはみな兄弟

以上で、だいたいデザートということの概念が、つかめたと思いますが、複雑化した都会生活や、料理店のサービスで考えるより、地方や家庭の生活で考えた方が、よくわかるかも知れません。家族全員の口腹の満足のための、主婦の関心は、料理と甘味を作ることでしょうが、その甘味がデザートなのです。

クリスマスにつきものの、プラム・プディングや、パイの類、パン種《だね》を使った菓子、こういう物が家庭の台所から出て専門化し、複雑多様な菓子の王国を形づくったのです。

プラム・プディングは、小麦粉に脂肪と乾果を混ぜて、酒で練り、布に包んで数日、乾してから茹であげた、代表的な祭日のための貯蔵用食品で、原始的な菓子の製法の名残りをとどめるものといえるでしょう。菓子屋の営業が独立してから、菓子の種類も増え長足の進歩を遂げたわけです。

ところで、和菓子屋の方では、ナマ、半ナマ、カワキモノ、という区別を立てていますが、これを洋風のデザートにあてはめて考えてみると、おもしろいと思います。

ナマはクリーム（シュークリームの中味のような）、半ナマはプリンのような物、カワキモノはカステラ類と考えられるのです。即ち、ドロドロした状態のクリームを湯煎で固まらせれば、プリンが出来ます。澱粉の量を多くして焼けば、パンケーキやカステラになるのです。

一見、非常に違った物のように見える、クリームもプリンもカステラも、材料はたいして変りのないものなのです。カステラの材料を更に固く焼けば、ビスケットができます。本質的には同じ物なので、フランスではカステラもビスケット（フィンガー・ビスケットのような）も、ビスキュイというのです。

この他に砂糖を主材料にした砂糖菓子（ボンボン・チョコレート、飴など）と、果汁やクリームを冷凍して固まらせた、アイスクリーム類がありますが、以上にあげたデザートの種類は、材料の上から見れば、みな一つ腹から出た兄弟ということが、できるのです。

いま述べた中でプリンというのは、プディングの日本訛《なま》りです。プディングといえば本来は、プラム・プディングのように固いものですが、これはカスタード・クリームを湯煎にかけて、プディング状にまとめた、軟らかいプディングの意味で、カスタード・プディングというのです。フランスでは、クレーム・ムーレといいます。

アイスクリーム類では、果汁または白ぶどう酒のシロップを凍らせた、ソルベ（英語ではシャーベット）が原型です。フランス人の研究によれば、ギリシア時代にもあったということですが、中国にも古くからあったのではないかと思います。

だが、ヨーロッパ人がアイスクリームを知ったのは、近世のことで、ルネッサンス時代に、イタリアのシチリア島の人がパリに来て、これを広めたということが、記録に残っています。

アイスクリームは、フランスではグラースといいますが、これにもいろいろな製法があって、上等なグラースは、パリの楽しい名物のひとつです。

日本のホテルやレストランで、結婚式の宴会に、富士山を形どった大型のアイスクリームが、よく出ますが、あれはボンブという形式のグラースで、生クリームを主材とし、中が二重になっています。つまり二種類のクリームが使われているのです。

アイスクリームは現代では、世界的に流行しているデザートであり、夏の食べ物でもありますが、戦後、アメリカから輸入して、そば屋の売り物にまでなった、ソフト・クリームと、明治時代からあるフランス式の、黄色いアイスクリームとは、基本的に違ったものです。

ソフト・クリームやアイス・スマックは牛乳を主材にしていますが、フランス風のグラースは、菓子用のクリーム（さっき述べたシューの中味の様な）から出発しているのです。だが、営業上の条件から、フランス風のグラースには、なかなか旨い物ができず、そのため、ソフト・クリームの単味と口あたりのよさが、かえって好まれ、これほどの流行を来たしたのでしょう。

冷たいもの、熱いもの、デザートの楽しさは、菓子屋の菓子とちがう、即席に作るもの、たとえば有名なフランスのクレープ類（クレープ・スュゼットなど、パリ名物といっても、いいでしょう）、時機に適した出し方をするもの（たとえば熱いパイ）、などにあるといえましょう。

外国でも、アパートの台所に、オーヴン（天火）つきのレンジの備えがあるかどうかで、アパートの品等がきまるくらいですが、わが国でもそのうち、オーヴンの使用がさかんになって、家庭でカステラが焼けるようになるでしょうし、電気冷蔵庫は一足お先に普及したから、この二つの備えがあれば、パイも家庭で、できるはずです。

アイスクリームなどは、営業用の製造の場合、検査が厳しいので、家庭で作った方が、うまい物が食べられるはずなのです。

現代のデザートは、以上お話した個々の種類のものばかりでなく、それをいろいろ組み合わせた種類のものが多くなって来ました。クリーム・サンデイとか、パーフェーなど、近頃、街で流行っているものがそれです。アイスクリーム・フルーツあんみつ、などというのまであります。

こういうものなら、現在でも家庭で材料をそろえて、やることができるでしょう。お宅でもひとつ個性的なのを案出してみては如何でしょうか。但し青酸加里などは使わないことですね。

Ⅲ　へんな食品考

食べない食べ物

正月の餅

欧米では年末のクリスマスが、一年をしめくくるお祭りで、東洋でのように、正月を特別に祝う習慣はない。日本の農村では、やれ屋根を葺き替えた、子供の袴着《はかまぎ》だ、次男坊《おじもん》が自衛隊にはいった、といっては餅を搗く。特別の接客用に餅を出す風習も、古くから続いている。もっとも正月ほどは多量に搗かない。このごろは若い女性など、餅を食べる人が少なくなったそうだが、都会でも正月には、やはり餅がないと、なんだかけじめがつかない感じで、暮のうち米屋が注文をとりにくるのは、日本独得の風俗といえるだろう。

餅という字は中国語から借用したものだが、中国の餅《へい》は、日本のもちとは違う。春餅とか、中秋名月にそなえる月餅《ユイピン》など、原料はだいたい小麦粉を使い、やはり祝祭日につくる習慣がある。台湾で正月に民家に招かれ、モチ米の餅をご馳走になったことがあるが、砂糖入りの餅を油で焼いて出してくれた。むこうでは、じか火で食物を焼かないから、どうしても油を使うことになる。

この餅なんてものが案外、凶器というか、事故死の原因になっている。餅が喉につかえて、死んでしまうケースだ。実際に毎年、正月そうそう、このケースの死亡者が相当数、出ている統計があるのだから、用心した方がいい。特に老人が多い。放送文芸の大御所的存在だった文壇の長老が、お寿司を喉につかえさせて、なくなったという珍しい例もある。まして餅は粘着力が強い。錦蛇ほど食道の広くない人間には、こわい凶器になる。

ファンテージーを食べる

ところで、食習慣には、いろんな面があって、おもしろい。食物の与える特異感、へんな食べ物というと、ふつうは風変りな、とても人間の食うものとは思えないようなもの、見ただけで、思わず顔をしかめるようなもの、をいうようだが、これはたいがい習慣のちがいだけで、馴れてしまえば、なんでもないようなものが多い。フランスの蝸牛《エスカルゴ》料理なんか、日本でも、もう格別、珍しがられなくなった。「最初に海鼠《なまこ》を食った男は英雄だ」と、いう説がある。思いつきは愉快だが、これは飛んでもない間違いで、原始人は食えるものなら、なんでも食った。男ばかりじゃない、女も同様、原始美人（場末のキャバレーなどで、お目にかかるのじゃなく、ほんものの）は、ニョゴニョゴうごめいているのを、手づかみでかじって、イケルご馳走だと喜んだに違いない。海牛をご試食になったと洩れうけたまわる陛下のほうが、はるかにご勇敢であらせられる。とにかく、いかもの食いなんてのは、たいしたことではない。

おかしな食べ物といえば、何故こんなものを喜んで食っているのかと、ふしぎに思うようなものもある。日本に住みついている外人で、ほかのものは何でも食うが、豆腐だけはどうしても食えない、というのがいる。食うことはできても、どこがうまいのか、と思っている外人は、もっと多いだろう。

縁日で売っている綿飴（文明開化の電気飴）、かさは大きいが、食べ出すと、あっという間になくなる。あれは、スュクル・フィレといって、飴づくり技術のひとつなのだが、ちか頃は物価高《だか》の波に乗って、ポリ袋に入れて吊り下げられたのが、ひとつ何百円もするそうだ。かさはあるが大部分は空気である。欧米の露店商人からはじまって、極東にまでひろまった理由は、なんだろう。ただし、ザラメを加熱して糸状にした感触と味は、ちょっと珍しく、ファンテージーを買うなら、いくら高くてもかまわない。とにかく、おかしな食物にランクされる価値は充分ある。

だが、私達がふだん何気なく、ときには、うやうやしくおこなっている風習の中に、もっとふしぎなものがある。食う物を、食わない用途に使うのも、そのひとつだ。最初に餅の話を持出したが、それには理由があるので、正月には鏡餅の上に裏白、ゆずり葉、勝栗、だいだい、海老、ほんだわら（これは近頃の飾り方）などを乗せた、蓬《ほう》萊《らい》というものを床《とこ》の間《ま》に飾る。これは、むかし年賀の客に出した食摘《くいつみ》で、それが、飾り物の形で残っているのだが、そのままでは食えない生の物や、まるで食えない物で構成されていた。食える物を食えない形で、食えない物に混ぜて客に出すというのは、奇妙な風習である。形式的、といってしまえば、それまでだがやはり、いつか行われなくなった。

鏡餅（お供え）は生の餅が固くなったものだから、そのままでは食えない。古代ギリシアでも、神に供えるパンは焼かずに、生のペーストに形をつけただけのもので、生パンのお供えだったわけだ。これについては別に書く。

ギリシアでは、ほかにも、食べないペーストの用途があった。食器もナプキンもなかった時代で、手づかみで物を食う。食卓に生ペーストのかたまりを乗せておいて、これをちぎって手を拭く。焼いた小片を匙のかわりに使ったりもした。アイスクリームにフィンガー・ビスケットや、ウェファーをつけるのは、その名残りかも知れない。ただし、あれですくって食べる必要はない。ビスケットをいつ食べたらいいか、わからない人のために、つけ加えると、いつでも、口の中がつめたすぎると感じたとき、食べればよろしい。

説明のヒント

ウェファーといえば、あまり大の男の食べるものではないようだが、これは英語で聖体《ホスト》の意味にも使う。聖体《ホスト》はウェファーのような、澱粉を鉄のはさみ型（早くいえば鯛焼を焼くやつ）で、舌の上に乗るくらいの丸い小型煎餅に焼いたものだ。苦い粉薬を飲むのに使うオブラートも同質のもので、この名称はドイツ語から出ている。ウェファーはカトリック教会のミサの時に、聖餐を受ける手順をすませた信者が、次々に祭壇の手すりの前にひざまずいて、口をあけ、司祭が十字を切りながら、舌の上に乗せてくれるのを嚙まずに飲みこむ。

聖体《ホスト》の原形はラテン語のホスティアで、もとは古ローマの神に捧げる犠牲獣のことだった。キリストは人間の原罪を消滅させるために、十字架にかかったから、「平和のいけにえ」と呼ばれる。そのキリストの血肉を、むかしは神前で浄化したパンとぶどう酒にこめて、教会で信者に与えるのが、いまいった聖体拝受《コンミユニオン》の儀式だった。その後、聖パンは、製パン技術の発達と共に、いろいろ姿を変え、フランスではブリオッシュを使った時代もあるが、現在はオブラートだけ。ぶどう酒の方は司祭が用いるだけで、残念ながら信者には飲ませてくれない。

天理教では神前に供えた饌米《せんまい》を、ご神体として飲ませるし、喉にささった魚の骨をとるために、棘《とげ》ぬき地蔵さんのお姿を印刷したお札を飲みこむ人もいる。もっと変ったものに、中世のフランスで、クリスマス・イヴに捏ねたカランドルという聖パンが、来年いっぱい雷除けのおまじないになるといって、争って欠けらを保存したという例がある。

グレアム・グリーンのハイネマン社本の短篇集（早川書房版「二十一の短篇」）に、「説明のヒント」という好短篇が収録されているが、これは、このウェファーをモチーフにした物語だ。話は年の暮に、北イングランドの丘陵地帯を走る、ひどく寒い汽車の中からはじまり、話者の話し相手の、幼時の思い出話になってゆく。

この少年の父親のカトリック教徒を憎んでいた自由主義者のパン屋が、復讐のために子供を堕落させてやろうと試みる。これはキリスト教の思想を知らない読者には、ちょっとわかりにくいかも知れない。日本のあるカトリック信者の作家が、日本人には罪の意識がない、といったことがあるが、たしかにキリスト教的な罪の意識はないだろう。ない方がしあわせだとは思うが、しかし、もちろん日本人にも、精神的な罪の意識がないわけではない。こちらの中世の念仏者などは、むこうの中世の修道者と、よく似た心境を持っていたようだ。

ただ私たちは、カトリック教徒のように、日常的な罪の意識の規制を受けていない。そういう心的経験がないと、この作品もちょっと、わかりにくいわけだ。この少年は選ばれて司祭の侍者をつとめている。祭壇の中で雑用をやる役目である。無信仰なパン屋が考えた堕落の方法は、彼を菓子パンや玩具で釣ったり、おどしたり、すかしたりして、教会のウェファーがどんなものか、パン屋として調べてみたいから、ひとつ持って来てくれ、とたのむことだった。

聖体はキリストの血肉だから、異教徒はもらうことができない。信者でも無条件では、いただけない。その前に告解ということをやる。この前、告解《コンフェション》をした時から以後に犯した罪を、ことごとく神に白状して、心清浄になってから、いただくわけだ。教会には告解所という、二つに仕切った小屋があって、そこにはいってひざまずくと、仕切りの小窓が、ぱたんとあいて、あみ戸越しに神父の髯が見える。神父は懺悔を聞いたあとで、主禱文を二十回となえろ、とか適当な贖罪の方法を与える。その日は朝のミサに出る前、午前零時以後は、水いっぱい飲めないのだ。

私が少年の頃、信者でない水兵が教会へ見物に来て、何も知らずに聖体を受けてしまい、大騒ぎになったことがある。私は助祭の寝室に忍びこんで、寝酒のチンザノを盗み飲みするような悪童だったから、こういうハプニングはかえって面白がる方だったが、聖体拝受の前の告解というものは、まったく閉口だった。それをするために、しじゅう、しかも規則どおりに、罪の意識を持っていなければならないのが実に面倒だった。グレアム・グリーンも、聖体拝受については、複雑な思い出を持っていて、だから、こういう作品を書いたのではないかと、私は愚考する。

とにかく、厳格なカトリック家庭に育った少年にとって聖体を、たったひとつでも持出すなんてのは、たいへんなことだ。しかも、礼拝堂の裏方をつとめている彼には、それをやるチャンスがある。なんでもない、ただのウェファーに、神聖とはいえ、人間である司祭が儀式をおこなっただけのものと、見ようとすれば見ることもできる。ということを、パン屋は彼に教えた。そこで彼の自覚が、どっち側に眼ざめるかが、この作品の焦点である。「説明のヒント」という題名は何をしめすのか、それはこのお話の落ちにもなっているのだから、あなたが、まだ読んでいなかったら、ご自分で読んで判断していただきたい。

おめでたい食べ物

日本人はケチか

このごろは新年が巡って来ても、年始まわりなんてこともほとんどやらなくなって、しぶしぶ年賀状にサインするだけで年頭の挨拶をすませる。着飾った女礼者、獅子舞に三河万歳といった街頭風景も、きわめて稀だし、門松さえ、営業用の季節装飾のひとつと心得てるらしい商店街以外では、あまり見かけなくなった。そのわりに若い人の初詣《はつもうで》が、かなりさかんらしい。これも宗教心とはほとんど関係のない、戦後の日本人の外出《でず》好きのせいかも知れないが、おかげで明治神宮などは毎年お賽銭のあがりが莫大だそうである。

その一面、私が前にいたところの近所の神社では、賽銭箱の海老錠が毀《こわ》されたことがあった。ちょっと人里はなれた木立《こだち》もの古り幽邃《ゆうすい》な場所で、大瀬康一の「隠密剣士」（忍者物テレビのはしり、おぼえてますか？）のロケに使われたくらいだから、ふだんはほとんど参詣人もない。その、いくらも溜っているはずのない賽銭を狙うやつがいた。どうも私には、やはり日本は貧乏くさい国だという感じが強い。

海外で、日本人観光客のどけちが評判になってるというが、日本人の日常生活の簡素さが、多少、誤解をまねいてる、と弁護できないこともなさそうだ。戦前の日本の植民地、朝鮮や台湾で現地人を雇用すると、肉食や脂肪を多く使う料理に馴れているかれらには、味噌汁に焼海苔、香の物といった和食では物足らない。日頃、大きな顔をしてるくせに、ふだんの食い物は、おれたちより貧弱じゃないか、と軽蔑する。植民地の経済をにぎっていた日本人銀行家などの住宅も、たいてい社宅に毛のはえた程度のものだったから、過去の同族富豪の広大な邸宅が、いくつも残っている国では、みすぼらしく見えてしようがなかったろうと思う。だが、簡素な生活は、むしろ美徳であって恥じることはない。日本人の日常食の素朴な滋味には、やはり長いあいだの生活でセレクトされて残ったものの価値がある。

　こないだ若いフランス人と飲屋で話しあったが、豆腐だけはどうにも食えない、といっていた。フランスでは日本の豆腐を「大豆のチーズ」なんて解説するが、冷奴などいきなり食わされれば、いただけないことは想像できる。台湾の南京豆の豆腐（日本人には、ちょっと豪華な感じがするが、風土的な物産のちがいだけの話）の方が、いくらか食べやすいだろう。だが豆腐の淡白な味は、日本人にはいいもので、あの微かな豆くささもなくてはならないに違いない。

なつかしき哉、お年玉

いまの子供は正月のお年玉よりも、クリスマス・プレゼントの方に関心を持ってるようだ。が、フランスなどにも、お年玉の習慣がある。エトレンヌ（ラテン語で縁喜といった意味のエストレナが原義）といって、元旦に子供たちにプレゼントするのだが、この風習はローマ時代からあったらしい。クリスマスはキリストの誕生日のお祝いが、古い民族の風習と結びついたもので、古ローマには直接の関係がなく、ローマの十二月は死者の祭りの月、つまりお盆のようなものが年の暮におこなわれた。ご存じだと思うが、ローマ時代の暦法では、はじめは一年が十月しかなく、いまの三月から十二月までの月名が当てられていた。後に一年十二カ月制になって、いまの一月と二月がお尻にくっつけられた。二月のフェブリリス（英・フェブリュアリ）は年末行事の祖霊や無縁仏の供養祭から来ている。ついでにいうと当時の五月と六月（いまの七月、八月）は単に第五の月、第六の月という名だったのを、そのとき改定者のジュリアス・シーザー（ジュライ）と継承者のオーガスタス（オーガスト）の名を記念するために変えたのである。つけたした二つの月名は、あとで前に置かれた。それで順番が狂って、いまでも十二月をディセンバー（第十の月）と呼んでいるわけなのだ。

だから、むこうでもお年玉の方がローマ以来の習慣である。日本ばかりではなく、いそがしい文明国では、どこでも古い風習が急速に閑却されてゆく。年中行事のお祭りなども、教会へ行ってすませるだけで、謝肉祭も復活祭も、その何々気分といったものが年々うすれてゆくか、ところによっては観光事業化してしまう。そういうわけでエトレンヌも、もう廃《すた》れてしまったろうと思っていたら、フランス新人推理作家ルネ・レウヴァンの「そそっかしい暗殺者」を拙訳中に、それが出て来たので、まだ旧家には、こういう習慣が残っていたかと、なつかしく思ったことである。

お雑煮と餃子《ぎょうざ》

元朝に雑煮を食べる習慣が残っていることは、私にはありがたい。私の家でも私だけは、すくなくとも三ガ日は毎朝、雑煮を食うことにしている。欧米には、クリスマス料理はあっても、正月の特別な食い物というのは、ないようだ。餅の類に属するものを食う習慣は東洋のもので、日本の餅も中国の影響と考えられる。戦後、満州から多数の同胞が帰って来たせいでか、餃子《じやおず》（ギョーザ）が今では大衆的な嗜好物になっているが、東京に餃子専門の店ができたのは、戦前、神田神保町の鈴蘭通にできた小店などが、草分けではなかったろうか。もっとも、その裏通に前からあった大雅楼では、古くから作っていた。ただし春餅《チユンピン》といっていた。ところで、この餃子が中国人の元旦の恒例の食物だということを、知ってる人は案外すくないだろう。

清朝時代の敦崇という人が、当時の首都北京の年中行事を記録した「燕京歳時記」という本がある。この本が出たのは今世紀のはじめ、義和団事件の数年後だから、清朝滅亡のすぐ前の混乱時代で、生粋の北京っ子で官員だった著者は、十月革命の後、自殺した。いわゆる大文章ではないが名著なので、英訳もされている。この本の元旦の項に、「この日、貧富貴賤を論ずるなく、みな白麺をもって角を作って、これを食す。これを煮餑々《ジウボウボウ》という。国を挙げて皆然り、同じからざるは無し……」と書いてある。白麺は小麦粉、角は角子で、餃子と同音の別のいい方である。金持ちの家では金銀の小粒や宝石などを、その中に匿しておいて占いをする。つまり家人で、それを食いあてた者は一年中、福運に恵まれるというわけだ。明代の書物にも、同じようなことを書いたものがあるそうだから、これは燕京(今の北京・北平)では、かなり古くからのしきたりだったと思われる。

正月の寄席でよくやる「かつぎ屋」という落語に、番頭が雑煮の餅を食おうとすると、固い物が歯にあたって、中から金物が出てくる。番頭は、かつぎ屋の旦那にゴマをすって「これは、ご当家ますます、おカネモチになる瑞象だ」というと、飯炊きの権助《ごんすけ》が混ぜかえして、「金の中から餅が出たなら、カネモチかも知れねえが、餅の中から金が出ただから、ここの身代《しんだい》モチカネる、だ」というのがある。おそらく、わが国にも餅の中に何か匿しておいて、一年じゅうの吉凶をうらなう奇習が、あったかも知れない。

フランスでも前記のエトレンヌは、子供たちの一年の福運を祈るものであるし、一月六日の主顕節《エピファニー》という、新らしい星をみつけてベツレヘムの野へ、赤子のキリストに貢物を持って行った三人の学者王の祭りの日に、「王たちの菓子」と呼ぶ、練込《ねりこ》みの生地《きじ》の中にそら豆を匿して焼いたものを出し、そら豆入りの一片があたった人を、饗宴の王とするという風習がある。また、クレープを焼くとき、手のひらに小銭をのせ、そのままフライパンの柄をにぎって、やると、金運にめぐまれるなど、ヨーロッパ人種も迷信家のかつぎ屋の資格では、決してわれわれに負けない。

ギリシアの供餅《おそなえ》

新年の祝いが、古い民族的伝習であることはいうまでもないが、こういう場合、共通に用いられる餅の類が、やはり古い食物だということも容易に想像できるだろう。

餅の発見は、新石器時代、一万年ぐらい前のことで、雑穀の粥が偶然、焼石の上にこぼれて、香ばしいにおいを立てたのがきっかけ、と学者は想像した。当時、こういう餅の類がつくられていたことは、日本でもフランスでも考古学者の発掘で証明されている。

それに共同の食事、会食というものは、こういう祭りの形式で、はじまったと考えていい。自民党の五原則などというが、人類が部落をつくって、最初の長老政治をはじめたころから、政治の原則というものは、なければならなかった。呪術者の口を通じて、神々が人間に要求する条件などが、その基礎になったことは、古風な西部劇で、けばけばしいかっこうをしたインデアンの呪術師が、「ムカシ空青カッタ。アノ白人殺セト神サマ命令シテル」など、威嚇的に叫ぶのと同じことである。

長老の会合で神に犠牲《いけにえ》が献げられ、かれらの小宴がはじまり、部落民にもお裾分けがある。神に生《なま》の物をさしあげるのが、ほとんど世界共通の習俗だということは、前にちょっと考証めいたことを書いた。古代ギリシアでは、食事のはじめに焼肉などを炉の火に投げこんで神に献げる習慣があって、ホメーロスの叙事詩にも出てくるが、祭礼や慶弔の儀式の供物は、やはり生《なま》で、慶弔によって屠殺の時刻や犠牲獣を寝かすかっこうが違ったりするきまりがあった。小麦粉の餅も日本の鏡餅式に、焼かないナマのを供えた。

小麦粉の餅といったが、ヨーロッパ人ならもちろんパンの類に入れる。ギリシアもプラトンやアリストパネスの時代には、パンの製法が非常に発達して、同一異名が混っているにしても七十二種類が記録されている。祭事用の生パンで有名なのは、シラクサのミュロイで、これは大地の女神デメテルと、冥界の王プルトンに誘拐された彼女の娘ペルセポネに献げるテスモポリア祭の供物だが、蜜と小麦粉と胡麻を使って、豊作のシムボルである巨大な女陰を捏ねあげ（じょいんはジョインの糸が足りなかったところ）神輿《みこし》のように大騒ぎして神殿へ担いで行った。小さな炬火《たいまつ》で取巻いて、女神アルテミスに献げた生パンも同類である。戦前の元旦は家毎《ごと》に獅子舞が廻って来て、祝儀《しゅうぎ》をはずむと、獅子の中から馬鹿面《ばかめん》をかぶって現われ、「若い娘さんが十人ずらり裸で並びまして、オメコ十《とう》ございます」なんていったものだ。エロがかった話も、ひとつの御祝儀《エストレナ》だったのである。

血液幻想

死後の食べ物

神聖な食物を二つに分けると、神さまの食べるもの——供物のような——と、それが神前で浄化されて、ご神体のかわりに特殊な用途に用いられるもの——ホスティアや饌米のように——ということになるだろう。こういう人間を超えた食物として、今度は死者の食べものを考えてみよう。

日本に、現代まで残っている風習でも、神への供物と死者（ほとけ）へあげるものとは、すこし様式《やりかた》が違う。蔬菜《そさい》類も神前には、そのままの形で供えるが、ほとけの方は、お盆の精霊棚の飾りでわかるように、なすを子供の飯事《ままごと》みたいに切刻んで、蓮の葉に盛ったりする。この、手をかけるというところが、神饌と違うように私は思うんだが、どうだろうか。白米も、神前は生米だが、仏壇には炊いた飯をあげる。新ぼとけの枕もとに、当人が使っていた飯茶碗《めしぢゃわん》に飯を盛って、（東京などでは）それに箸を突立てて置く。入棺のとき、その飯を棺に入れる。あつかいが生者に近くなっている。

古代エジプトでは、このあつかいが徹底して、むしろ生者以上だった。

カーという死霊が故人のミイラといっしょに墓窖《はかあな》に残る、という信仰があって、死後にも不自由しないように、あらゆる食品、嗜好品、酒、調理材料から食器、台所用品まで副葬された。その上さらに墓室の壁画の中にも、そういうものが描きこまれたのだが、これも装飾というだけではなく、絵に描いたのが呪術の力で、実際に死者の用いられるものになる、と信じられていた。画だけじゃない。墓の上に彫りこまれる文句は、死者のためにパンと酒の施物《ほどこし》を願う詩句ではじまっている。墓参に来た親類友人は、その度にそれを読むことになっていて、そうすると、その言葉がそのまま、あの世で飲食物になると考えられていた。

あの世も食えない

エジプトのカーは食いしん坊だが、健康（?）な死者だった。というのもエジプトの来世思想では、死後にも楽しい生活があり、成功者もあり——そのための手引に「死者の書」なんてものもあるくらいで——たまには、この世へ日なたぼっこをしにくることもできるからだ。が、こういう幸福な死者にくらべて、あわれな亡者もいる。たとえば仏教の餓鬼。戒律を破った者は死ぬと餓鬼道に落ちる。食道が針の穴のように細くなって、食物が通らないから、骨と皮ばかりに痩せさらばい、恐ろしい形相になって、たまに食物を見つけても、取ろうとするとみな火焔になってしまう、という。有名な「餓鬼草紙」の絵巻には、その状況が物凄く描かれているのを、ご存じだろう。

破戒者の場合なら、まだ自業自得といえるだろうが、日本の民俗には、天災で死んだ者や無縁仏の霊が餓鬼になって、この世をさまようという考え方がある。私の生れた水郷では、橋台に精霊棚をもうけて、水難者のために水施餓鬼というのをやった。人通りのとだえた川ぷちに、線香の煙が棚びいているのは、あわれなながめだった。いま私が住んでいる東京のはじっこでも、盆になると畑の隅などに、例の蓮の葉に盛った食べものや胡瓜の馬などが、ひっそり置かれている。ラフカディオ・ハーンは、こういう日本人の心について感動を洩らしている。

無縁仏は中国では有応公《イウイエンコン》といって、よく旧慣を守る台湾にも、町の辻などに小さな廟があり、施物のしてあるのを見かけた。どっちにしても、こういう風俗は、人間、死んでからも腹がすき、食いものを欲しがる、という考え方から出ている。どんな文明、どこの国にも似たような考えが、民俗の中に保存されている。

死者のいかもの食い

カーや餓鬼のように、幸と不幸の差はあっても、生前の食物を欲しがるのなら、まだ始末がいいが、なかには飛んでもないのがいる。宗教的な発想が餓鬼によく似ている吸血鬼、などいう奴だ。キリスト教会から破門された者は、死んでも浮かばれない。生とも死ともつかない状態、生きている死者の状態を続けるための栄養として、血を補給する必要がある。そこで夜、墓を脱け出して人間の生血《なまち》をあさり歩く。死者というよりも怪物的存在で、だからフランケンシュタイン博士が、死者からつくった人工人間などと同列に、ドラキュラ伯が、日本の怪物漫画にまで登場するわけだ。

　血液は生きている人間の食物のリストにも参加している。原始人や未開人の農耕呪術で、人間を殺して血の飲合いをやる風習を、フレイザーなどが集録していることは、前に話したし、民間療法で動物の生血を飲んだり、豚の血を煮固めて食う黒腸詰《ブーダン・ノワール》などもあるが、やはり血が栄養になり、衰弱したからだに精力をつける、という考え方は、吸血鬼の話にも大いに関係があるようだ。そのことは後でいうが、これは無気味な、こわい話で、ヨーロッパでは長い人気を持っている怪談だから、いろんな作家があつかっている。

　十九世紀から今世紀にかけて、ポリドリ、ゴーティエ、レ・ファニュ、プレスト、シュオッブ、ストーカー、エーヴェルス、ジャコビ、マシスンなど、英仏独の作家が、それぞれ、こわい話を書いていて、有名だが、吸血鬼というものの概念には、多少の差異があるようだ。本筋はやはり、さっきお話した死者が墓から出て、人間の血を吸いとって殺し、その犠牲者が、また吸血鬼になるという、神の掟《おきて》と秩序に対抗する一種の永生願望であり、暗黒の権威の拡張運動といったものだ。

ところが、テオフィル・ゴーティエの「ヴァンピール」などは、ファウストに対する女メフィストといった役割で登場する。このヴァンピールというのは仏語で、英語はヴァンパイアだが、出どころはドイツ語らしい。仏では、この言葉を切裂きジャックみたいな謎の残虐殺人犯の意味にも使う。ボアロー＝ナルスジャックの短篇「ヴァンピール」は、この意味の方だ。英語では、ご承知のように妖婦といった意味にも使う。ヴァンプ役なんてやつである。だから、表題が吸血鬼でも、内容が違うことがあるのは当然だが、吸血鬼そのものを書いたものでも、属性が一定してるとはいえない。

吸血鬼伝説

この恐ろしい話は、どこから出て来たのか。「呪術史《ザ・ヒストリ・オブ・マジック》」の著者セリグマンは、ギリシア伝説のラミアを吸血鬼と呼んでいるが、ラミアはふつうの死霊ではなく、胸から上が女体で、からだは蛇という怪物だから、後代の吸血鬼とは違う。だが、テュアナのアポロニウスの事蹟の中に出てくるラミアは女吸血鬼説話の原型みたいなものを、たしかに持っている。ヨーロッパの怪奇幻想に、ギリシア的なものがあるのは事実だし、吸血鬼伝説の分布図をしらべてみると、ギリシアの影響がバルカンを通って、ヨーロッパに拡がったことも考えられなくはない。ただし吸血鬼はトルコにもいたし、アラビアではゴールと呼ばれていたそうだ。

吸血鬼をあつかった本を最初に書いたのは、ベネディクト派の修道士ドム・オーギュスタン・カルメで、聖書の注釈者として有名な人物である。彼は吸血鬼を実際に起こった事件として調査するために、その事例を集め、この怪異に解明を与えようとした。フランスは実例にとぼしかったので、彼は主《おも》に東欧諸国の事件を紹介したのだが、やはりこの辺が吸血鬼の本場といえそうである。カルメの著述は、彼の努力で、豊富な資料に基づいて書かれたので、たいへんな評判になった。この人は十七世紀の後半から十八世紀の前半を生きた長命の人だが、彼の時代がやはり、吸血鬼の方も、いちばん盛んな時代だったのだ。

ハンガリーのグラディッシュ附近の、キシロヴァという村で、ペテル・プロゴヨヴィッチなる男が、死んでから吸血鬼の疑いを受け、埋葬の六週間後に、村人が彼の墓を発《あば》いてみると、死者の皮膚はまだ生々《なまなま》しく、頬はバラ色で、爪も伸びていた。そして唇に生血がべっとり着いていた。村人は彼の死体を掘出して焼いてしまった。

ベルグラード裁判所の役人と政治家、医師、それにカブレラス伯爵が、ある兵隊から聞いた話の疑問を解くために、ある村に出かけた。兵隊の話というのは、その男が、そこの農家で晩飯の接待を受けた。すると見馴れぬ男が一人はいって来て、招かれもしないのに食事の仲間入りをした。そこにいた人たちは、恐ろしそうに固くなっていたが、兵隊は遠慮して理由をきかなかった。その次の日に、その家の主人が急に死んだ。それで、みんなは、その招かれざる客が主人の祖父で、十年前に死に、いまでは吸血鬼になっている、と話してくれた。

カブレラス伯たちが、老人の墓を発《あば》くと、死体はいきいきしていて、医師が血管を切ると、血がほとばしった。伯爵は死体の首を切りとって、胴体を埋葬させた。かれらは村人の要請で、さらに四つの墓を発いた。それは三十年前に死んだ村人と、その犠牲になった家族や召使いの墓で、三十年もたった死体は、やはりなまなましく、どの死体の血管にも血が流れていた……

セリグマンの「呪術史」にも、こんな話がもうすこし引用してあるから、読んでごらんになるといい。ドム・カルメは、だが、こういう事件を、それが公式の調査報告であっても、無条件で信じはしなかった。彼は、魔女裁判などのような、民衆の中に起こる「伝染性狂信」と考えた。一方で、この怪奇な現象を自然科学的に解明できないかと試みた。土壌の中に死体の腐蝕を防ぐ物質がある。土壌に含まれた硝石の硫黄があたたまると、凝結した血液を溶かす作用を持つ。吸血鬼が悲鳴をあげるのは（ボヘミアやセルビアに、その例がある）死体の喉にたまった空気が、棒で叩かれたりした圧迫で、押し出されて鳴る……などなど、彼はまじめに考究している。

若々しい血への願望、といえば、若者の血を皮袋に溜めるギリシアの魔女や、ゴーゴリなどが書いているロシアの魔女の話（ギリシア正教徒の俗信には、ギリシアの民俗の影響が濃い）などもあるが、吸血鬼の出現は、あまり古いものではないように、私は考えている。ローマ・カトリックの制圧に、反撥が加えられだしたルネッサンス頃から、あらわれだした現象だろうと思う。こんな怪談が、新旧思想の対立と関係がある、といったら、あなたは笑うだろうか。だが、ルネッサンス以降の動揺する思想が、こんな怪奇現象を派生させるような世相をつくった、と考えられないこともない。

現代人は神秘主義やオカルチズムなどを一面的に見て、迷妄だと片づけてしまうが、そういうものを通じて、こういう怪奇説も近代科学に行きつく、かなり錯綜した道に派生したと考えられないだろうか。卑近な例をあげれば、現代の血液銀行はアプレイウスの魔女のように、健康な血を溜めている、ってなことを、まあ、いいたいわけだ。

悪魔の饗宴

わるい奴ほど、よく食うか

わるい奴ほどよく眠る、というのがあった。では、食の方はどうだろう。わるい奴ほど、よく食うかどうか。最小限の犯罪、ひとかけらのパンを盗んだだけで、ジャン・バルジャンみたいに一生、追いまわされては、たまらないが、食うや食わずで犯した僅かな盗みは、実際には同情の余地のある微罪として扱われる。こういうのは食えないから犯した罪で、よく食うなんてものじゃない。そこへ行くと、あとで紹介するボアロー＝ナルスジャックの集金人の脳味噌まで食っちまう話などは、まさによく食う方だろう。食糧難時代に自分だけ闇で手に入れたものを、たらふく食うという行為自体が、よくないとすれば、わるい奴ほどよく食う例に挙げてよさそうである。

だが、睡眠時間や食事の量は個人差の問題で、善悪には、あまり関係がないと見ていい。体重四十五キロの悪人よりは、九十キロの善人の方が、よけい食って当然だろう。

実際には体重の多い方が、余分に食うとは限らないが、私の友達に、短時間の汽車旅行でも駅弁を最低二折は買って食う、見かけどおりのがいる。目的地に着いて見物中に、もう姿をくらましてしまい、そこらのうどん屋などにもぐりこんでいる。彼にいわせると、「自分ぐらいの目方があれば、それを維持するためには、これくらいは食わなければならない」のだそうだが、別に、その図体を維持してくれと、誰も彼にたのんでいるわけじゃないから、おかしい。この男、あまりいい人間とはいえないだろうが、大男によくある気の小さい方だから、たいして悪いことができるはずもない。

江戸川乱歩さんも体が大きくて、よく食べる方だった。晩年、病気をしてから特に、うまいものを食べたがった。私もフランス料理の会食の便宜をはかってあげたりしたことがあるが、あるとき、おくさんが私に皮肉みたいにいった。

「コックさんなんていうのは、うまい物を食べさせて、他人の寿命を縮めてしまう、わるい人ね……」

乱歩さんは元来、栄養のあるうまい物をたくさん食う方が、からだのためになる……という、この頃の医者や医事評論家という先生方が眉をひそめそうな立派な考えを実践していたようだ。が、健康を気にしだし、周囲が気を使いだしてからはそうも行かなくなったらしい。それでも、うまいものに対する欲望《アンヴィ》は最後までなくさなかった。だから、先生の過食がなによりも気になる乱歩夫人には、美食が悪徳に見え、腕のいいコックは悪魔の化身のように思えたのかも知れない。料理人が既にワルイヒトだとすれば、うまいものは悪の範囲に属することになる。仏教などでも眠気《ねむけ》や食気《くいけ》は行道の妨げをする魔障だという。仏教に限らず、受験生の徹夜勉強のさまたげにもなる。悪魔が素朴な欲求で学生をそそのかし、そんな馬鹿なことはやめてしまえといっているのかもしれない。サタンの名は「敵」という意味のヘブライ語から出ているそうだが、まさに教育ママの大敵である。

脳味噌のフライ

人はひとつことに執着して夢中になると、平常の分別や人間らしい感情まで喪失してしまうことがある。人殺しの心理は異常だが、殺人者は異常者とは限らない。ボアロー＝ナルスジャックの掌篇に「闇市のころ」というのがある。闇市という言葉は、あなたもまだ忘れてはいないはずで、マルシェ・ノワール（仏）、ブラック・マーケット（英米）など、大戦後、どこにもあった現象だ。

第一次大戦のあとのドイツでは、通貨のマルクが暴落し、配給品をあつかう食料業者に横暴な奴が出て来て、ウェルナー・クラウスの肉屋が、グレタ・ガルボの娘を犯すという映画を見たことがある。第二次大戦後のフランスは、ひどい打撃を受けたが、とにかく勝ったのだから、それほどひどくはなかったにしても、ごたぶんにもれぬ物資不足だった。レマルクの「凱旋門」の影響で、日本でも文学中・青年がカストリを、カルバのつもりで飲んだりしたが、パリでは林檎の蒸溜酒のカルバドスが、さかんに飲まれたらしい。おなじボアロー＝ナルスジャックの秀作「死者の中から」（ヒチコックの「めまい」の原作）を読むとわかるように、この頃からパリの紳士は輸入ウイスキーの飲用に馴れだした。

こういう不自由な「闇市のころ」に、物資の入手のうまい夫婦がいて、（日本にもいたね）古友達の刑事が昼どきに訪ねてくると、かみさんが料理した脳味噌のフライをもてなす、というところから、この掌篇は、はじまる。

脳味噌や内臓などは、ふつう幼獣か小型の家畜のものが使われる。上物は子牛、羊、子羊などだ。上等な料理では、前にも話したことがあるかも知れないが、テート・ド・ヴォー（子牛の頭）という、頬肉や耳や脳を盛合せにした冷たい料理が、有名だが、脳味噌のフライもやはり高級料理の中にはいる。これから、この短篇を読む、料理に関心のある読者のために、どんな風に料理するものか書いてみよう。

成牛の脳は五〇〇グラムから七〇〇グラムぐらいの重さがあるが、子牛のは、およその半分ぐらいで、一個で二人前とるのが、ふつうである。新鮮なものを使うのは、もちろんだが、まず酢を加えた水に十五分間、漬けておき、被膜と血管を取去る。水を細くした水道栓の下において、さらしてもいい。その方が簡単だ。これを更に十分間、冷水につけて、充分白くなるまで晒《さら》す。

今度は適量の水に、玉ねぎ、にんじん、セロリ、洋酢、塩、胡椒、ブーケなどを加えて煮立て、野菜のブイヨンをつくる。この中に下ごしらえした脳を、すっぽり沈めて、火を加減し、とろい沸騰で十分から十五分、ゆであげるのだが、これが、どんな脳味噌料理の場合にも必要な下準備だ。

フライのやり方は単純で、四人前として材料――1、脳五〇〇グラム、オリーブ油大さじ二、レモン汁半コ分、塩、胡椒。2、全卵一コ、水小さじ一、油小さじ一、パン粉。3、油半カップ、又はバター大さじ五。

ゆであがった脳をブイヨンからあげて、水気を拭きとり、厚めの切身にする。それを深皿に並べて、1の材料をかけ、三十分間、漬けておく。2の材料、卵に水と油を加えて、かきまぜ、ていねいにパン粉をつけてから、十分間ねかせておく。少なめの油をフライパンで、よく熱して、片面ずつ焼色をつける。片面四分。大皿にナプキンを畳んで敷き、その上に揚げた切身を並べて、パセリを添える。

この脳味噌のフライの上に、アンショア（ひしこいわし。頭のところを着けたまま二つに裂いて骨をとり、ケッパーの実を入れて酢漬けにしたもの。これを渦巻状に巻いたのが壜詰にして売っている。英アンチョビ）の巻いたのを、一コずつ、おいて出来あがり。

この短篇では、これを山形に盛って出すが、もちろん子牛の脳味噌などではない。この作品の、ほんとうの恐《こわ》さは、人が平常の自分を落っことして、何気なく恐ろしいことをしてしまうという、私がさっき指摘したところにあるようだ。お互いに気をつけましょうや。

悪魔の身許調査

ところで神やホトケの食物については前に書いたが、悪魔は何を食い、悪魔の食事風俗はどんなものか、といった問題も取上げてみたい。ひょっとしたら、あなたはゴシック・ロマンスの悪霊的雰囲気の愛好者で、悪魔の食事とはさぞ物凄いだろうと想像をめぐらしておいでかも知れない。神話や伝説の魔神は、たしかに凶悪無残だ。中世でも、サタンの召使いの魔女が人肉を食ったかどで裁判された事実があり、当時の判決文も残っている。フランス王朝盛代のサタン宗の淫虐な黒ミサの光景など、見て来たように書いた物があり、王の寵姫が事件に連座したりしているが、こういう話はどうも素直に受取れない。裁判記録など残っていても、たいがい裏が読める。とにかく悪魔は人肉だの、幼児や処女の生血を信者に要求するほど猛悪ではない。古代の魔神は原始的で神秘的だが、悪魔は世俗的で文化的だ。

では具体的にいって悪魔とは何ものか。悪魔の戸籍原簿は教会にあった。悪魔はもと天使で、その堕落したもの(悪天使、堕天使)だというのが、キリスト教会の見解なのである。

天使は人間と神の中間にいる霊的な存在で、九つの階級に分れている。これに対して悪魔の方にも階級があり、中世以降の悪魔研究書によると、サタンの下に、ベルゼブブだのアスタロトのような醜悪な古代の魔神が幹部に連《つら》なっているが、これは学者の附会《つけたし》とも考えられる。たしかに古代には地位のない庶民が、しばしば人身御供《ひとみごくう》といった宗教(あるいは呪術)儀式の犠牲にされた。が、悪魔が民間に出没して、庶民とつきあいを持った中世期の社会事情はもうその頃とは違う。悪魔が魔神でも、吸血鬼や狼つき《ルー・ガルー》のような妖怪人間でも、水精《オンディーヌ》、火精《サラマンドル》のような地霊でもない証拠には、神と人間のあいだの天使という前歴が、別個の霊的存在としての位置を彼に与えている。

ただし、悪魔はどんなものにでも変化《へんげ》できるから、見分けがつかないこともあって、かなりややこしい。だいたい悪魔って奴は、どういうわけか神とのとりきめによって、人間の眼にうつった形を忠実にまもることになっている。人間が錯覚すれば、その錯覚に自分の姿を合わせなければならない。だからゲエテのメフィスト、シャミソオの金持悪魔、キャゾットの惚れっぽい悪魔など、千変万化するわけである。

仏教では人間が輪廻《りんね》する世界を、地獄、餓鬼、畜生、修羅、人間、天上の六道に分ける。天人は福徳みちたりて、なんの苦労もなく、寿命も非常に長い。欲界の天王の一人で、日月星宿を眷属にしている帝釈《たいしゃく》さまの寿命は、人間の百年を一昼夜として一千歳だ。無色界の悲想天になると八万劫という、なんだかわからないほどの長命である。だが、寿限《じゅげ》無《む》々々々いくら長い天部神将の寿命にも、やはりきまりがある以上、それが終れば、またぞろ迷界輪廻の繰返しで、因縁により餓鬼畜生に生れかわらないとも限らない。

キリスト教の天使には、そういう不安はなく、はじめから唯一神エホヴァの御家人みたいな地位がきまっていて、神に反逆さえしなければ地中に堕とされ、サタンの眷属になって、もぐらの邪魔をしないですむ。天界に永久就職できるわけだ。

この天使の存在は、どこから来たかというと、やはり、前七世紀のメディアの予言者ツァラトウシュトラ(ゾロアスタ)が完成した善悪二元説の影響と見てよさそうである。拝火教では光の神オルマズダ（マツダランプのマツダ。あれは松田さんじゃない）と、その弟の闇の王アリマンが対立し、それぞれ六人の大天使と六人の大魔神に軍団を維持統率させている。この天使の長《おさ》たちと同じ名が、エホヴァの九階級の幕僚の中にもある。捕虜としてバビロンに送られたユダヤの選民が、はじめにこのペルシア宗教の影響を受けたという説も信じられる。アリマンの眷属の方も、牡牛と人間と羊の三つの頭、鵞鳥の足と蛇の尾を持つ醜怪なアスモデウスや、蝿魔ベルゼブブなど、新約聖書の時代はおろか、中世から王朝期のヨーロッパ社会にまで生残っていた。

しかし、キリスト者の父なる神は全能であるから、ここではもう二元説は消滅している。ゲエテの「ファウスト」の序曲を読んだ人は気がついたはずだが、そこで悪魔メフィストは最初に神の壮大な行為の裏方《うらかた》をつとめているに過ぎない彼の役まわりを、愚痴っている。つまり御家人のなれのはてである悪魔は、御館《おやかた》には頭があがらない。裏口から人間を誘惑して成功しても、結局、教会へ行って懺悔《ざんげ》をすれば人間は清浄になって救われちゃうのだから、なんてことはない、人間を善に向かわせるために協力していることになるわけだ。だから「呪術史」の著者クルト・セリグマンも、悪魔を定義して、善のアンチテーゼに過ぎないといっている。

サバトは造反か？

悪魔がいちばん活躍したのは十三世紀だった。中部フランスの古都ブールジュに、そのころ建立されたゴシック建築の傑作といわれる聖堂の祭壇画には、いろんな恰好の悪魔が描かれている。中世の教会では悪魔の名は禁句で、うっかり喋ると大眼玉を食った。それが封建時代の混乱を過ぎ、統一王権が固まって来た中世末期に、悪魔の評判や品定めがさかんになったのは、裏返せばそれだけ民衆に力がついて来たともいえる。

さかんに民間に出没しだした悪魔どもは、そこで何をやったかというと、誘惑という名の奉仕である。結局、神の意志に添うことになるとはいっても、やはり悪魔には悪魔の立場がある。彼の目的は何かといえば、人間の魂を手に入れることだ。が、かれらは陽のあたらない側に属していて辛抱強い。だから、いろんな労働に従事して始終、むだ骨を折る傾向にもなる。乱歩夫人のコムプレンではないが、ザクセンの司教館では、実際に名コックの腕前を見せたりした。

パリ近郊のサン・クルウの橋など、ヨーロッパの古い橋には、悪魔が建てたという伝説の残っているものが、かなりある。渡り初《ぞ》めをした者の魂をもらう約束で、難工事にとりかかるのだが、完成すると人間が、野良猫や野生の獣などを追立てて、まっさきに渡らせ、悪魔は泣寝入になってしまうといった縁起譚が、たいがい、つきものになっている。

そこで悪魔は何を食うかだが、かれらの目的は人間の霊魂を地底の自分たちの国に集めることで、人肉などは必要がない。吸血鬼はにんにくを嫌うというが、コックでもやれるくらいの悪魔には、人間の食う物ならなんでも食えるはずだ。つまり民間に現われたときの、かれらの食い物は人間と変りがない。ということは魔女が集会の義務を持たされている悪魔の宴会のようすでわかる。

セリグマンが蒐集した十五、六世紀の、イタリアの悪魔学者グァッツォや、ドイツの法学者モリトルなどの著書の記述や挿画によると、悪魔は集まった男女と同席して、ぶどう酒を飲み、肉、バター、パンなどを食っている。モリトルはルネッサンス期の知識人だから、彼が集めた世間話にも、さすがに懐疑的で、魔女の異常な能力などを信じず、彼女たちの集会は邪悪な女の想像から生じたもので、宴会のようすも妄想的錯覚にすぎないと、はっきりいっている。

だが、おもしろいと思うのは、悪魔の宴会では金持も貧乏人も、ひとつテーブルで同じ料理を食い、ときには貴族が主催者をつとめ、身分を匿《かく》すために悪魔に扮装して出席したような事実も、あったことである。その状況はフランス革命政権時代に、お祭り並みに盛りつけ装飾した食卓が、パリの街々をつないで路上に並べられたという、市民饗宴《バンケ・シヴィク》を思わせる。この宴会は古ローマの、共産主義的な市民共食の会の復活を意図したもので、ローマ時代のはまた、異教の農耕神サツルヌスの年祭を衣更えしたものだった。スコットランドで、バーウィクシャーの魔女集会を主催したボスウェル伯は、熱烈な教権反対論者だったという。こう見てくると、サバトの宴会にも、なにか結社的なもの、あるいは、それに対する恐怖のにおいがしてくるではないか。

まぼろしの食べ物

まぼろし・謎の種類と条件

「まぼろしの××」といった表現が一時、流行語になった。

海底に沈んだ大陸に、かつて高度の文明があった、というアトランチスやムーの通俗研究書の表題から、この表現がはじまり、「まぼろしの魚シーラカンス」や「まぼろしの邪馬台国」につながったんだと思うが、特に日本肇国の問題をふくむ後者は、出版ブームを起こした。ピエル・ブノアの戦前のベストセラー「アトランチード」では、クレオパトラそこのけの妖艶な女王が、アトランチスにいたことになっている。この小説はサイレント時代から何度か映画化されて、最初の女王役はナターシャ・ランポア。この人は亡命露人で、その後ばあさんになって、パリのボアに住んでいたが、もう天国の方へ移転しちゃったに違いない。いまならアシュラ・アンドレスの役どころだが、もちろんタイプは違う。ランポアの方は嫋々《じょうじょう》として阿修羅のような女ではなかった。女王の誘惑に負けない、もったいないような堅物《かたぶつ》の二枚目を演ったのは、往年のラテン系美男ジャン・アンジェロで、この人もかなり長生きしてもう故人になっている。

アトランチスの女王はブノアの創作かも知れないが、邪馬台も女王卑弥呼《ひみこ》の存在で特に興味を持たれているようだ。が、それはともかく、この二つの場合を見ても、まぼろしという言葉にニュアンスの違いがあるのがわかる。過去に何度か探究ブームを巻起こしたアトランチスは、伝説の大陸で、伝聞の多い古代の史書には出てくるが、実際にあったかどうか、わからない。だが、邪馬台国の方は三国《さんごく》の魏《ぎ》の国史に、この国と交渉があったことが明記されているのだから、実在を疑えない。ただ、どこにあったか、日本の統一王朝との関係など、判然としないところにミステールがある。判然としないが、させられそうな気がする。前者の場合も、伝承の真偽はわからないが、想像にかなりの迫真性が持たせられる点に誘惑を感じるのだ。

この方向と対照的なのは、現実に痕跡がはっきり示されていて、それが発生した理由がまったく理解できないという、たとえば「マリ・セレスト号」事件のようなもの。推理小説は、たいがい、この後者の謎から出発するが、アリバイ崩しや冤罪の証明、特に被害者の人間像の設定には、やはり歴史的方法が必要になる。フレッチャー、ポストゲイトその他の訴訟物では、この興味がいちだんと強く、それを考証学的に扱うと、ジョセフィン・ティーの「時の娘」のような作品になる。

肉芝とマンナ

こういった、かなり適用のひろい、悪くいえば、やや曖昧なまぼろしという言葉を冠せられるものが、食物誌の方にもある。神様の食べものは、前に風俗史の面から見たが、神の生態や行為を語る神話伝説の中からも伝説的食物は拾いだせる。中国では、漢代にできた絵本「山海経《せんがいきよう》」が、この種の話題の粉本だが、神話の聖帝の一人、禹《う》が従者を連れて九州《せかい》を遍歴した後、彼の見聞を書き残したのがこれだという。が、もちろん、この説はあてにならない。しかし、そういわれるくらいで、一種の幻想的な地誌である。犬の首をした人間の国のむこうに、鳥の頭を持った人間の国があるといった調子だが、そこを訪れた禹も、その先輩で、やはり講談の水戸黄門式に廻国漫遊が好きだった黄帝も、むかし薬種商《きぐすりや》の店頭にかかっていた神農の絵像みたいに、みんな頭に角を生やしていたんだから、おもしろい。

こういう神人異人あるいは後代の仙人の世界では、何を食っていたかというと、たとえば白玉という美しい宝石があって、なみの人間には歯が立たないが、中には純白のクリームが詰っていて美味なものだったという。これは仙界の描写だから多少、美化されているが、一般には人類が農耕をはじめた前後に好んで食った大型穀物が多く、ほかには野獣、魚、蛇など、猛毒のある虫を平気で食う者もいた。梟陽《きょうよう》という国の人間はハーフ・アニマルで、人肉を好む。そのあたりに酒好きの猩々《しょうじょう》が棲息していた。能の「猩々」は、その生態の翻案である。大食王国という国の岩壁には枝が青く葉の赤い木があって、二十センチばかりの小さな子供が鈴なりになる。頭がへたになってぶらさがって実るのだ。人を見ると、はしゃいだ笑い声を立て、手足も動かせるが、枝からもぐと、すぐ死んでしまう。孫悟空が活躍する呉承恩の「西遊記」は、山海経系統の巫覡《みこ》の書を利用しているが、例の人参果《にんじんか》のくだりは、あなたもご記憶だと思う。

以上のように、この系統の話は、原始的事実と空想の混合だが、この菌人《きんじん》（人参果）や前の白玉の話などは空想（初期の話は純然たる空想ではなく、何かそれを生み出す見聞があったかも知れない）の産物だとしても、おなじく空想的で、私の感じでは、最も奇怪でありながら何か迫真的な、天界の食物の「肉芝《にくし》」というのがある。これは豚のレバーを思わせる赤い、べったりしたようなものだと思うが、地上に自生し、いくら採って食っても尽きない。食えば菌人のように不老長寿のききめがある。ほかの食物が尽きたときに出てくるらしいが、その点で私には、旧約聖書の「マンナ」が連想されるのだ。

エジプトに移住したイスラエルの民は、同系民族の主権者のもとで長らく平和に暮していたが、現地の王が復権すると土地を追われ、モーゼに率いられて紅海をわたり、カナンの地へ帰ることになった。いまのシナイ半島を通って行ったのだろうが、不毛の地で幾多の苦難を忍び、食糧の欠乏に苦しめられた。モーゼが砂漠で神に祈ると、あくる朝、砂の上いちめんに霜がおりたように何かが積っていて、それを食べて餓をしのぐことができたという。このヤハウェ神が降らした霊糧《マンナ》というのは何だろう、というのが聖書研究者の課題のひとつだったが、後代の科学者はこれを樹脂か地衣類の一種と想定した。樹脂や地衣が動物や人間の食物になることは、古くから知られているし、いまでも飲食用の材料になっているものがある。中国神話の「白玉」も樹脂、「肉芝」は地衣と想像できないこともない。

いま大問題になっている石油危機だが、モーゼの時代には、もちろん、この地方の地下に眠っていた莫大な資源の活用を知らなかったのが、いまはそれが世界中で使われ、私たちもつい昨日まで、巨大タンカーをつくって海にうかべ、その入手にちっとも不安を感じなかった。そのかわり、原始から現代まで人類の歴史につきものの食糧難には敏感で、石油化成工業の一環に新らしい蛋白質の製造を試みているくらいだ。伝説の食物は、食糧不安を踏まえた伝説だともいえるが、マンナや肉芝は無気味な暗示として、現代にも生き残れる神話だという気がする。

まぼろしよ、もう一度

過去に流行した食品で、いまはまったく見られないもの。これこそ、まさにいうところの、まぼろしの食物で、歴史家の研究対象になる。ローマ時代に愛好されて流行した調味料のラセルピシウムは、その後、原料が絶滅してしまった。これはギリシアでもシルピオンといって、小アジア産のこの植物の絞り汁が料理に使われたが、ギリシア文化一辺倒のローマ時代になって濫用されたのである。キレナイカ産の野生植物の根からとるのが一級品、茎からとるのが二級品とされていたが、ある時期にばったり入荷しなくなった。ラセルピシウムは樹脂状をしていたらしいが、プリニウスなどの記述で、だいたいどんなものだったかは、わかる。入荷がとまった原因は原料植物の絶滅。動物に食い荒されたのか、あるいは、なにしろ銀の目方で取引きされた高価なもので、その高価さの故に多量に使われたというくらいだから、原地で売りいそぎの取りすぎをやったのか、とにかく唐もろこしの成枝を残しておくような考慮を、うっかりしてしまったのだろう。後代の植物学者には、どんな植物だったか全然わからないので、ほとんど無数の仮説がおこなわれたが、古代貨幣の図柄に使われた、かなり不明瞭なこの植物の絵が発見されてから、唇形科の一種だったということに、いまではなっている。

この場合と反対に、誰でも知っていて、うまいものと認められている食物にも、まぼろしがある。本場説がそれだ。最高のものはなかなか得られない。それが本場の探究に結びつく。いまのフランス料理では、まぐろやかつおは、あまり使わないが、ギリシア・ローマ時代には好んで食われ、本場の海域もきめられていた。だが、本場も長いあいだには移動するだろう。私たちの周囲でも、戦前のそばや塩鮭の味まで、すでにまぼろしにちかくなった。むかしから珍味といわれて来たようなものは、次第に影をひそめる。

からすみなんてのも、戦前はちょっとした飲屋の舌代にも載っていたが、いまはほんとうに珍しくなってしまったようだ。これは鱲子という、ぼら、さわら、ぶり、などの卵巣を乾しかためたもので、唐墨というが、いかにも中国の大型の墨によく似たかっこうだ。アモイが本場で台湾がそれに次ぐといわれているが、台湾ものにも等級はある。この製法がどこではじまったか、南仏のブータルグ（ぼらの卵の塩漬）との関係など、私は疑問を持っているが、まだ解決の余裕がない。長崎の野母《のも》で多少は上《じょう》物《もの》ができても、日本の海が狭くなったいまでは輸入食品の仲間で、それも稀少なまぼろし組だ。しかし国産で江戸時代からの東京人の嗜好物で、しかも本場が、いまなら八丈行の飛行機で一跨ぎという新島の、むろあじの「くさや」も戦前は、僻地からくる異香の食品として、まぼろしの要素を持っていた。だから、あれは乾す前に肥溜へ漬込んで、ウン香を滲ませるのだ、などという者もあった。私は新島に二カ月ほどいたことがあるが、なるほど畑の隅などに肥溜そっくりの桶が埋めてあり、魚をさいて海水で洗った汁が、そこに溜めてあった。せっかちな観光者などが見まちがえたのかも知れない。とにかく、すべてがまぼろしになってしまわないうちに、民衆が嗜好する範囲のうまいものだけは生産を維持する方法が、ないものだろうか。

Ⅳ ミステリー風土記《トポ》

推理小説の本場

番号を打った鴨

一九七一年十月五日、この季節には、たいがい濃霧にみまわれる英仏海峡の空はめずらしい秋晴れで天皇皇后両陛下ご搭乗の日航機は正午まえ、ガトウィック空港に到着した。その前日、陛下はパリのノートルダムのうしろにある鳥料理トゥール・ダルジャンで、自慢のカンヌ・ア・ロランジュという、オレンジ入りのソースで軽く煮た焼鴨を召しあがった。

この店では鳥の脚に、番号を打った鉛の札《ふだ》がつけてあって、お客にその札をくれる。つまり、その客が何人目にそこで鳥を食べたか、という記念になるわけだが、そのかわり一人で行っても大型の鳥を一羽、注文させられる。陛下は皇太子のとき外遊されたおりに、やはり同じ店で食事をされた。それから半世紀のあいだに、そこで何十万羽かの鳥が焼き串《ブロッシュ》にかけられたはずだが、陛下は今度いったら番号の数が、どのくらいまでになっているか、そこにまず興味を持たれたそうだ。が、五十年ぶりのお出かけで、この店の焼き鳥の番号札に歴史的な挿話がひとつ加えられることになったのを、無邪気な陛下はお気づきになっていないだろう。

だが、ビクトリア駅からバッキンガム宮殿までのパレードをテレビで見ると、やはり今度の御訪欧の眼目は大英帝国だったという気がする。画面のロンドン市は、道路の改造工事をやったり、スコットランド・ヤードの新庁舎ができていたりしても、やはり戦前とほとんど変らない。

イギリスの推理小説

ロンドンを推理小説の本舞台または故郷だというのには、否定的な人がだいぶいると思う。ご存じのとおり、ふつうはアメリカの詩人ポオが、このジャンルの祖だとされている。けれども推理小説が着実に伸びだしたのは、家庭読物の一環として出発し、そこに定着しだしてからで、ポオの立場は、ちょっと違いはしないだろうか。ポオは純粋だから始祖にされる価値があるのだが、読物のジャンルとしての推理小説は、はじめから雑駁な小説の要素を、かかえこんでいた。時代の要求に応じて形が変って来たのも、また当然だといえる。この流れの中で、比較的地味なイギリスの作家群は、推理小説の定型と十九世紀以来のロマネスクなおもしろさに、いちばん忠実なようで、あまり形を崩さない。そしてイギリス本国や世界の推理物ファンの中に伝統的な嗜好をつくるささえになって来たのは、かれらの大きな功績だと思う。小説的なおもしろさということを、すこし説明すると主要な点では、犯行を実証する事実を推理の裏づけに用意するだけでは、読物として、おもしろみが稀薄だから、そこに工夫をこらす。動機の探究もお座なりではいけない。作例をしめせ、といわれれば、読者の好みに合うかどうかは別として、コール夫妻の「あるミリオネアの死」など読んでもらえれば、私のいおうとすることがわかるはずだ。この小説では事件とあまり関係なさそうな主人公の身上話が、ながながと語られる。実はそれが全部、解明のための伏線になっている。小説的トリックとでもいうか、この手法は現代の新手《あらて》の推理小説によく用いられている。

議論はこのくらいにして、かれらの作品はロンドンの生活、風俗に密着しているから、そこの街々、その周辺がひっきりなしに出てくる。「ビッグ・ボウ事件」「クロイドン発一二・三〇」「チャリング・クロス事件」など、地名を題にした例も、かなりあるくらいだ。小説の探偵たちも、たいがい重厚な市民気質を持ち、この都市での生活をたのしんでいる。あの奇癖のあるホームズでさえ、代表的市民として万人のみとめるところで、その証拠には、この架空の名探偵が住んだベーカー街の家が、いまでも現に存在している。こんな街は世界に二つとない。私が本場として名ざした所以《ゆえん》である。

イギリス料理

両陛下はバッキンガムの招宴で何を召しあがったか知らないが、イギリスでも正式の会食や高級料理店での食事は、フランス料理だ。ロンドンの高級店のメニューが、いつまでもフランス語なのに不平の声があがって、問題になったことがあるが、たぶん、この点はいまでも完全に解決ができていないだろう。では、イギリス料理というものはないのかというと、もちろんそんなことはない。ロンドン市民が街で気楽に食事をとる場所は、ディクスン・カアなどによく出てくるパブと称する店だ。入口が売店で、電話がかけられ、うなぎの寝床式の食堂が、おくにある、といった光景は、イギリス映画などによく見られる。料理の材料は、基本的には、フランス人の食いものと変りないが、日常のイギリス料理は、こういう場所でないと外食できない。

そこでイギリス料理とはどんなものか、すこし挙げてみよう。――ミックスド・グリル。アイリシュ・スチュー。カリ・オブ・マトン（イギリスの雑種羊《メチス》はうまい。以上は全部、羊肉を使う。カリはカレーだ）。ステーク＆キドニー・パイ（牛肉と腎臓のパイ)。ライス・プディング。ヨークシャー・プディング(ローストビーフの附けあわせ)。パンではバーン、スコーン、マフィンなど、ご存じのはずで、だいたい見当がついたと思うが、なかには、おかしな名の料理もいくつかある。シポラタ・ソーセージにパンケーキのたねをかぶせて、オーヴンで焼いたトド・イン・ザ・ホール(穴の中のひき蛙)など代表的だが、ジョン・ブルらしいウイットといえそうだ。

会食の場合にも、イギリス人好みのしかたがある。日本でコックという職業がはじまったのは、横浜の居留地などの、俗にいうハウスゴックからしいが、イギリス系の居留者が多かったせいか、この先駆者たちはイギリス風の食事を伝えた。私が少年のころ、居留地出身で後に高級な技術者になった老人と、やはりそこで惣菜料理をおぼえた肉屋のおやじが、身近《みぢか》にいて、上下《じょうげ》二種の洋食を、よく食わしてくれた。上の方では鮭のサラザなど、子供の口には合わなかったけれども、おぼえている。これが英語でサヴァリという分類にはいる料理だったことは、大人になってから、たしかめられた。

現代のフランス風のディナー・コースは、焼肉《ロー》のあとが甘味のアントルメとデセール(ひっくるめてデザートと思えばいい)で終りになる。そのあと、まだ何か出るとすると、それがサヴァリで、つまり食後酒のさかななのだ。むかしは料理が続いて出るたびに、いろいろのぶどう酒を飲みわけた。だが近代産業の規模が大きくなって、世の中が急がしくなってくると、食事の合理的簡素化がおこなわれて、ぶどう酒も魚と肉に白、赤一種ずつ飲む程度になった。その一方、長尻組の抵抗もあって、その抵抗派の有力なのがイギリス人だったのだが、サヴァリを何種類か出すような風習もだんだんすたれてしまった。

下《げ》の方では牛脂《ヘット》を使ったオニヨン・ビーフの辛辣な味が、私には忘れられない。いまは炒《いた》めものにヘットを使わなくなった。ヘットが溶けるにおいは、明治・大正のにおいかも知れない。亡くなった結晶学の中谷さんが、イギリスの塩の話を書いていたが、男性的にいかきなイギリス料理は、私にも郷愁を感じさせる。

プラム・プディング

さっきも話に出たプディングには、硬《かた》いプラム・プディングや軟らかいスイト（牛脂）・プディングなど種類が実に多く、この類の菓子はイギリス人のすばらしい発明といえる。日本のプリン（プディングのなまり）は、プディングに添えるカスタード・ソースを湯煎で固まらせたものだ。

プラム・プディングはクリスマス・プディングともいう。これの巨大なのをイギリスの王室では毎年のクリスマスにつくって、数人の宮中の使丁が肩にかついでバッキンガム宮殿に運ぶ。材料はヘット、パン粉、小麦粉、卵、ブランディ、牛乳、スパイス、おろしナツメッグ、赤砂糖、乾ぶどう、レモンの生皮のおろし、砂糖漬のレモン皮、塩、など、こねあげてまとめた生地《きじ》は布に包んで最低十二時間、寒む空に吊るしておく。それを鉢にあけて布でつつみ、熱湯で長い時間かけて煮る。出すときにラム酒をぶっかけて火をつける。

戦前、フランスとイギリスの学者が海峡をはさんで、この菓子の本家あらそいをしたことがあるが、原型はすでに古代ギリシアの菓子にあることがみとめられているのだから、いまさら元祖のとりっこをしてもはじまらない。近代史によれば、この古い菓子の製法は、マドリッド駐在のイギリス大使だったバッキンガム公がスペインからイギリスに持ち帰った。フランスに伝わったのは、ナポレオンがワーテルローで惨敗した一八一五年に、パリに進駐して来た英軍のクリスマスのため、ウェリントン将軍が兵站《たん》に命じて多量につくらせたのが、はじまりだという。

クリスマスといえば、ドイルの「シャーロック・ホームズの冒険」の中に、私の好きな短篇のひとつで「青い紅玉《ルビー》」というのがある。クリスマスの朝、ロンドンのトテナムコート通りで、ある男が一羽の鵞鳥をひろう。その鳥の餌袋の中から、名代の青いルビーが出てくるというのが発端である。クリスマスに七面鳥を食う習慣は、アメリカ大陸発見後、この大陸原産の鳥がヨーロッパにはいって来てからのことで、その前、そしていまも、ふつうは鵞鳥が使われる。そこで、この発想がうまれたわけだ。

ウエールス風のトースト

さて最後にもう一度、御外遊のニュースに戻る。パリに隠棲しておいでのウィンザー公、さきのエドワード八世、往年のプレイボーイ、プリンス・オブ・ウエールスを、陛下は非公式に訪問された。これに因《ちな》み、といっても私となんの関係もないんだが、いわばことのついでに、ウエールス風のトーストを紹介しておこう。

〈ウェルシュ・レアビット〈ウェールスの兎〉の作り方〉二、三人前として角パン六切れ。厚さ一センチぐらい。それよりうすくない方がいい。小鍋にバター七〇グラムぐらい入れて溶かし、小麦粉二〇グラムを入れ、こがさないようにして、よく混ぜる。そこへ牛乳一デシを加えて、かきまわしながら煮る。煮えたら、おろしチーズ（本すじはチェスターかグロチェスター）二五〇グラム、こしょう少量に塩微量、洋がらし一〇—一五グラムを加え、チーズが溶けるまで煮る。パンはバタートーストにして、その上に右のチーズ・クリームをたっぷり塗り、きざみパセリを振って出す。熱いうちに食べないと、つまらない。

料理技術の本場

フォア・グラ

世界的に料理の本場といえば、やはりフランス、そしてその中心のパリということになるだろう。欧米で本式の料理——公式の宴会や高級料理店の料理——はフランス料理であるからだ。

最近むこうへ行った日本観光者の話を聞くと、パリのレストランの料理は、あまり評判がよくない。話を聞いただけでも、短期旅行のことで、しかるべき食べ方をしていないのが、わかるけれども、特に建物や設備の古臭さが、アメリカ式繁栄に馴れた眼には斜陽を感じさせるらしい。これはロンドンでもローマでも同じことだ。

それにフランスの料理技術が世界的に普及したため、わざわざむこうまで食いにゆく必要もなくなり、純粋のフランス料理より自国のものの方が口に合う、ということもあるだろう。だが、独得の産物となると、そうはいかない。チーズなども、こっちでは食えないものがあるし、ハムやソーセージも、フランスやイギリスの本場物は、やはり違う。もっと特殊なものになると、なおさらだ。たとえばフォア・グラ。雁肝などと訳されているが、肥育した鵞鳥の肝で、つまり脂肪肝なのだが、そういってしまうと印象がわるい。

アルベール・シモナンの原作をジャン・ギャバン主演で映画化し、フランスのギャング物の味を日本の映画ファンにも、じっくり味わせた名作「現金《げんなま》に手を出すな」。あの中にギャバンがマシン・ガンの撃ちあいのあと、夜深く小腹がすいたころ、仲間のポール・フランクール（？）を自分のアパルトマンに連れてゆき、小丼ほどもある陶器につめた雁肝を出して来て、なかみをたっぷりパンに塗って与える。やばいことをやっている男の友情が、侘しくも贅沢に、じんわりにじみ出ている場面だ。

ヒチコックが日本にくると、ひいきにしていたレストランがある。そこの料理長の古いコックのKさんと、こないだ会ったら、その話が出た。「この頃は、あんな大きなテリンを見たことがありません」と、Kさんはこの名場面を思いだして、いった。

テリーヌ・ド・フォア・グラは、日本の一流ホテルなどでも、ストラスブールから輸入しているが、高価なせいか、この頃はKさんがいうように、手のひらにのるぐらいの容器に入れたものしか、こないようだ。私は戦争中、台湾で現地自給をやって、鵞鳥も飼ったことがある。図体の大きいこの鳥は、マラリアにかかりやすい。かかると脾臓が脹れて来て体を傾《かし》げてよちよち歩くようになり、たいがい死んでしまう。フォア・グラの場合は、肝臓肥大症で、この飼育法はローマ時代からやっていたものだ。ローマ人はガリア（当時のフランス）から鵞鳥を運ばせて、これにいちじくとブドー酒をやたらに与え、レバーを肥らせた。

やはりフランスの産物でトリュフという茸《きのこ》の類がある。日本の松露《しょうろ》のように地中にできるもので、形もまるい。だが松露とちがって色が黒くて固い、独得の芳香があるので、鼻のよくきく豚を使って、これを掘らせていた。テレビの海外旅行番組で有名なK嬢が、フランスでこのトリュフ採集の実況を見て、「トラフルって、じゃがいもみたい」と説明していたが、なるほど、そう思うかも知れない。

新大陸発見後、南米原産のじゃがいもがヨーロッパにはいって来たとき、これを紹介したフランスの有名な博物学者が、トリュフの類と勘ちがいして説明した、という、ちょうど逆の話がある。このトリュフを雁肝に刺《ピケ》して、テリンを作ることを考え、評判をとったのは、十八世紀のドワイヤンというパリの人だが、彼が後に製造に便利なストラスブールに移住してから、この高地ドイツに近い町の名産になったわけだ。

キッシュ・ロレーヌ

例のスリラー映画の名人ヒチコックもフランス料理には相当、関心が強いらしい。ケリー・グラントとグレース・ケリーに主演させた、デヴィッド・ダッジ原作の「泥棒成金」は、ロケ中に地もとモナコの大公に、グレースが見染められて王妃になったという、女ムジナ食って玉の輿に乗る的いわくのある佳作だが、この映画の中に、シャルル・ヴァネルが演《や》るコック長、実は泥棒団の首魁がこさえた大きなキッシュという、パイのようなかっこうのものが出てくる。

眼光スクリン背に徹するファンは気がついて、好奇心を持ったかも知れないが、キッシュは卵とチーズとクリームとベーコンでパイ式につくる、ロレーヌ地方の料理で、じゃがいもを潰したマッシュ・ポテトでつくる方法もある。いもとハムを使ったのは、ママン・マリーのキッシュという。焼き型があれば、オーヴンで簡単につくれる。

フランスの推理小説

フランスではイギリスやアメリカにくらべて、推理小説があまり盛んでないという誤解が、日本の読者にはあるようだ。本職の刑事物では元祖のガボリオー以来、フランスは推理小説の盛んな国である。モーリス・ルブランが創造した怪盗アルセーヌ・

リュパンは、世界的に流行した。数年前、知合いのコックが公用で、はじめてパリから東京にやって来たことがある。彼も、ほかの大部分のパリ市民と同様に、その時まで外国はおろか、シャルトルの寺院の大祭に、自転車のペダルをこいで行ったことぐらいはあっても、ほとんどパリから出たことがないという男だ。私がガストン・ルルーの「黄色い部屋」を訳した話をすると、おうむ返しに「黒衣夫人の香り」と彼はこたえて、それも訳したかときいた。「黄色」や「黒衣」は何度も映画化されているし、中年のパリジャンで知らないものはない。主人公の若い名探偵ジョゼフ・ルールタビーユが勤めていたのはブール・ミッシュの新聞社だから、このコックさんの家がある左岸のポルト・サンジャックからは眼と鼻の先にあったとすれば、あったことになる。

推理小説では古い伝統を持つガリマールその他専門の叢書本を持っている出版社はかなりあり、毎年、相当量の新作が出ている。

シムノンとブィヤベース

ところで大作家シムノンの作品には、豪華なフランス料理より典型的な家庭料理が出て来る方が多いようだ。夕飯に、なま干しのにしんを、しけた気持でこっそり食っている女（「メグレのパイプ」）といった人物を描くのも彼は得意としている。メグレはパリの探偵だが、彼の活動範囲はパリの街々だけに限らない。父親がベルギー人のせいか、特に初期の作品には、ガスの中で霧笛が鳴っている北の海が印象的で、日本の読者はシムノンというと、まず、そういうムードを連想するようだ。だが、作品の多いこの作家の取材範囲は、やはりなかなか広い。雨期のものすごい豪雨に叩かれる、アフリカの白コンゴを舞台にした(「眼鏡をかけた白人」)のもある。フランスも、北のノルマンディーやブルターニュばかりでなく、彼の大きな邸宅のある南仏《ミディ》も、もちろん出てくる。

ブィヤベースは、日本でも名を知られている南仏の魚料理(魚介入りのスープ)だが、ミディといっても、東寄りのリヴィエラでなく、西寄りのマルセーユからツーロンまであたりの地方料理だ。この名物料理をつくるところが出てくるのは、シムノンの作品群の中でも珍しい例かも知れない。

「娼婦の時(アナイスの時)」の主人公の回想の中で、石工だった彼の祖父が、二十年もかかって建築見本みたいな家を、造りつづけている。年に一度、ジプシーの巡礼が集まってくる地方で、夏になると祖父は庭場のまんなかに築いた炉で、ブィヤベースをこさえて、友達や釣人や通りすがりの者まで、ひっぱりこんで食わせるといった場面で、省筆の描写だが、この苦渋な小説の中でも美しい部分である。

ブィヤベースの作り方までは書いてないから、代りに簡単に説明すると、――大型の海老やかに、地中海の貝類、こち、ほうぼう、といった身のかたい深海魚、あじのようなやわらかな魚（これは後で加える）などを、サフランやコニャック酒を使って、魚のブイヨンで、いっしょに煮こむ、スープ・ボールの底にパンを敷き、その上に煮汁を濾《こ》して注ぎ入れ、魚介類を盛った大皿と、いっしょに出す。――ガルサン老人（右の小説の主人公の祖父）の客たちが、暮れなずむ夏の空の下で招ばれる夕飯は、このブィヤベースだけで構成されているのだ。

メグレ夫人の家庭料理

私は最近クールティーヌのおかげでシムノンが家庭料理に相当な関心を持っていたことに気がつき、自分の不注意にあきれた。巨匠ジョルジュ・シムノンが生んだパリ警視庁のメグレ警視は、いまだに現代最高の官職探偵の座から降りていない。アメリカの名警察官たちやギデオン、マルティン・ベックと比較しても、やはり風格がひとまわり大きい。その人間味ではコロンボなどにも影響を与えている。だが彼は冷静な理知いってんばりでもなければ、こちこちの正義漢でもなく、かといって自分から法を踏みはずすような大胆さもない。超人的な思索者であるよりも、辛抱のかたまりみたいに担当の事件に耐え、その中から解決の光を見つけるタイプで、といっても、やはり誰も思っても見なかったようなことを考えている点で、名探偵の系列に属する人物なのである。

だから、ホームズ式のかたくなな独身の奇矯な生活者という、名探偵のプロトタイプからは大きくはずれている。アルザス生れの古風な気質の妻と彼とは、彼が治安の一部を受持っているパリの町中に住み、子供もなしに、ようやく老いかけている平凡で不景気な中年者の夫婦にすぎない。メグレには欠点もある。一見、勤勉で忠実な警官に見えないのなどそれだ。人によってはなまけ者の気分屋だと見られる。そういう態度の男が見習い警官から警部、警視の位置に昇進できたのは、持ち前の辛抱強さもあるが、内助の功によるところが大きいと彼は認めている。といってもメグレ夫人は、いわゆる夫婦探偵のような真似はしない。彼女は家事について、家中心の人生において捜査中のメグレぐらい辛抱強く果敢なのだ。それが外出がちの警官には何よりも心丈夫だったのである。

そういう生活、そして求めることの少ないメグレのような男に、夫人の健全な料理上手は、どんなに慰めになったか想像に難くない。メグレ夫人の家庭料理は、いい意味の伝統的でクラシックなフランス料理（もちろん現行のもの）で、ヴァリエーションに富み、それぞれ洗練されたもので、夫人自身、相当な達人であることを示している。そこで、シムノンの友人の料理研究家ロベール・J・クールティーヌが、夫人のやっている料理の作り方を一冊の本にまとめ、作家シムノンの古稀（といえば、こちらふうだが）七十歳を記念して出版することにした、というのが、この本が出るようになった由来である。

著者のクールティーヌは料理人ではないらしいので、私はあまり注目していなかったが、ル・モンド紙の食品コラムを二十五年間も担当していたラ・レーニエールが彼の偽名だというから、かなり古い人で、カバーの著者紹介によると、食べ物飲み物に関する著書も数多く、英米でも著名で、近作の英訳されたものに「フランス料理百の栄光」「好戦的食事学《ガストロノミー》の勲功」などがあるそうだ。この本の序文がわりに、シムノンが著者に与えた書簡によっても、彼が著名な食通で料理研究者なことはわかる。「メグレ夫人の料理法《マダム・メグレッツ・レスピス》」というのもあって、これはアメリカ版の英訳で、やや隔靴掻痒の感あれども、よく出来ている。ここにはメアリ・マンハイム訳のシムノンの書簡体の序文があり、ニコラウス・E・ウルフの挿画、アメリカのワイン通ジャック・ラングの索引がついている。

いうまでもなく偉大なメグレも彼の感じのよい細君も、小説中の人物であるから、この本は夫人の料理法を著者が紹介する形になっているけれども、もちろんクールティーヌが書いたものだ。だが、彼が勝手にいろんな料理を選んで本にまとめたのではない。彼はシムノンの作品を細密に渉猟して、その中から料理の名を拾いだし、メグレ夫人の作れる料理のレパートリは百以上に及ぶと推定した。もちろん、メグレもそれらの料理を喜んで食い、作者のシムノンもよく知っていて、たぶん嫌いではなかったろう。嫌いなら自分の愛する作中人物に食わせる気にならなかったろうから、シムノンも好きな料理だったはずだ。

クールティーヌはシムノン作品の中から料理名が出て来るところを抜粋して最初に載せ、次にその料理の作り方を書き、彼名義の註をつけ、最後にその料理といっしょにメグレが何を飲んだかを紹介し、その酒を巻末のラングのワイン辞典で引けるようにしてある。これがこの本の内容の形式だ。

メグレ夫人ルイーズは若い頃から料理上手だったらしい。アルザス生れのルイーズはパリの叔母の家に出て来て、当時、警察署長秘書だったジュール・メグレと結ばれる。その頃のことが、デザートの菓子の思い出などに絡めて、「メグレの回想録」にあり、この著者の序文の中にも引かれているが、それを読んでも、この幸福な夫婦の結婚とメグレの好きな食べ物との因縁がわかる。この本の料理法はもちろんクールティーヌが書いたものだが、現に一般的に用いられている料理法であり、メグレ夫人は小説の中でそれを作ることが出来、メグレはそれを楽しんで食べたのだから、著者が紹介の形をとったのは不自然ではない。ことわっておくが、この本は文芸書ではなくて、文芸的な料理書だ。だが一面から見れば、シムノン文学の料理解説書ともいえる。クールティーヌは権威ある食通と同時に、たいへんなシムノン通でもあるわけだ。

ところで、スープからアイスクリームまで百種以上ある料理法を、全部はもちろん不可能だが、その中から幾つか私なりに選んで、ひとつのコースを組み、紙数の許すかぎり紹介することにしたい。特に日本の家庭でも利用できるものを選んだ。

スープ・オー・トマト〈トマト・スープ〉

「スープは何ができる」と彼はどなった。

「トマトですが」

「結構」

（「メグレ帰る」）

〈作り方〉1、大玉ねぎ一、にんにく小粒一、刻む。よく熟したトマト七、四切りにし種を除く。以上を油でいため、大型のソース鍋に入れ、チキン・ストック

（またはブイヨン）四杯と三分の一カップを加え、塩、胡椒。2、トマトが完全に煮えたら濾器《こしき》にあけ、スプーンの背でこすりながらソース鍋に漉《こ》し出す。良質のヴェルミセリ（細うどん）大匙二を加え、さっと煮る。（固めがいい、ソフトでどろどろはだめ）3、パンの薄切りを溶かしバターで、こんがり焼く。それを一人一枚ずつスープ皿の中に入れる。その上にスープを注ぎかけ、刻みたてのチャーヴィルを振りかけて出す。

クールティーヌのノート――このスープは新鮮な菜園トマトで作ればおいしい。チャーヴィルは（そしてその他の香草も）香気をまもるため庖丁を用いず、鋏で切る。

＊トマト・スープとともに、メグレはクヮンシー（生《き》の白ワイン）を飲む。

（「メグレたてつく」）

スフレ・マリ・デュ・ポール〈港のマリのスフレ〉

二人連れは八時に着くと、すぐ席についた。アントレがスフレだったたからだ。

〈作り方〉1、刻みハム一カップを温いベシャメル・ソース二カップに混ぜる。むき海老一カップ、おろしスイス・チーズ三分の一カップを加え、卵黄四個を一個ずつ加えていく。2、卵白五個分を固く掻き立てる。卵白の三分の一を先の混合物の上に落として、よく混ぜ合わせたら、それを残り卵白の中に入れる。3、スフレ皿（深めのパイ皿）に厚くバターを塗る。スフレ種《だね》を皿の三分の二の高さまで流しこむ。4、中火のオヴンに入れ、二分の一時間、またはスフレが皿のへりを越えて膨れあがるまで焼く。

クールティーヌのノート——ベシャメル・ソースの作り方（略）

＊スフレ・マリ・デュ・ポールでは、メグレは林檎酒《サイダー》を飲む。

マクロー・オー・フール〈鯖のオヴン焼《ベークド・マクレル》〉

彼はたった二百ヤード行けばよかった。それで彼は鯖《さば》のオヴン焼のかおりがただよう家に帰っていた。メグレ夫人はゆるいオヴンで、それにワインとたっぷりの辛子をかけて焼いていた。

（「メグレと録音マニア」）

〈作り方〉1、身のしまった新鮮な鯖二尾（一尾四分の三ポンド程度）手早く掃除して腹をひらき、洗う。2、シャロット三、四個、パセリの小束をいっしょに刻む。3、タイム小枝一本、胡椒一つまみ、カルヴァドス（林檎の蒸溜酒）テイ・スプーン一を魚の内部に加え、表面に壜詰のマスタードにレモン・ジュースを加えたのを、たっぷり塗る。4、焼皿の底にシャロットとパセリの刻んだのを敷きつめ、その上に鯖をのせる。生《ドライ》の白ワイン三分の二カップを魚に注ぎかけ、バターを塗った紙を一枚、皿にかぶせ、火加減したオヴンで二〇分ばかり焼く。クールティーヌのノート――鯖は焼きあがったら、できるだけ早く食べるとい い。新鮮な鯖は非常に身が固く、鰓が鮮紅色をしている。

＊マクロ・オー・フールとともに、メグレはミュスカデ・ティレ・スュル・リー（前出のクワンシーと同じロアール渓谷産の白）を飲んだ。

（「判事の家」）

コート・ド・ポール・ファルシ〈スタッフド・ポーク・チョップ〉

スープ、魚、そしてキャベツ添えのポーク・チョップ。

〈作り方〉1、詰物《スタッフ》できる厚さの豚のチョップ肉二切、余分の脂肪を切りとる。よく切れる庖丁で肉の一方の端に二インチの切口をつけ、そこから庖丁の先を入れてポケットをひろげるように、反対側の骨に達するところまで中を切る。2、サラミ四切れ角《ダイス》切り、エメンタルまたはグリュイエール・チーズ薄切り。以上を塩、胡椒、刻み立てのパセリ若干、生セージの葉（なければ乾燥セージ一つまみ）とともに混ぜあわせ、肉の内部に詰め、しっかり抑えておく。3、ラードをフライパンに溶かし、肉の両面に色がつくまで焼き、塩、胡椒して焼皿に入れ、蓋をして、熱したオヴン（三二五度）で二五〜三〇分焼く。キャベツのピュレーを添えて出す。

クールティーヌのノート——ピュレー・ド・シューの作り方。キャベツを水を替えて煮る。じゃがいも二個、皮を剝いで煮る。いもとキャベツを野菜挽機に通す。こうして取ったピュレーを、ちょっと間、熱いオヴンに入れて余分の水気を飛ばす。バターの細片をばらまいて供する。

＊コート・ド・ポール・ファルシ・オー・シューと共に、メグレは若いシルーブル（ボージョレー・ワインの逸品の一つ）を飲んだ。

スパゲッティ・アルラ・カルボナラ

「まず、スパゲッティ二つ」
「ワインは何にしますか」
「キアンティ一壜」

（「メグレと生死不明の男」）

〈作り方〉1、バター大匙四杯をボールに入れ、木匙で泡が出るまで磨りつぶす。2、別のボールで全卵二、卵黄二を、おろしパルムザン・チーズ三分の二カップと混ぜ合わす。3、スパゲッティ一ポンド、大きめのポットで塩を加えて煮る。煮立ってから八分、ときどきフォークで掻きまわす。4、脂肪の少ないベーコンを小さく切って、少量のバターでいため、余分の油を捨てる。ここで乾した唐辛子、小一本を細かく切ったのと、濃クリーム二分の一カップを加え、温めておく。5、スパゲッティの水を切り、熱くしたボールに入れ、木のフォークを両手で使って（箸でも結構）1のバターを合わせ、4のベーコンその他を加え、最後に2の卵チーズを入れて、手速く注意深く混ぜる。6、スパゲッティにソースがよく沁みて卵がスパゲティの熱で煮えたら、食卓に出す。出す前に味を見て、塩、胡椒を十分にきかす。

クールティーヌのノート——スパゲッティはアル・デンテ、つまり歯ごたえのある方がよく、柔らかくて、くっつくようなのはいけない。

＊スパゲッティ・アルラ・カルボナラと共にメグレはキアンティ（ご存じのイタリア・ワイン）を飲む。

ウー・オー・レー〈エッグ・カスタード〉

メグレは彼のデザートを食べているとき、彼の妻がちょっと、からかうような、母親らしい微笑を浮かべて彼を見ているのに、ふと気づいた。彼は気がつかない振りで、眼をあげる前に、すこし多いめに彼のウー・オー・レーを取った。

（「メグレと首無し死体」）

〈作り方〉１、牛乳四カップ、ヴァニラ豆《ビーン》（ヴァニラはササゲのような細いサヤになり、その乾燥したものを日本ではバニラ棒という）一本、砂糖四分の三カップを、いっしょに煮る。２、卵四個を掻きまぜる。それを木匙で掻きまわしながら牛乳と混ぜる。バニラ棒を取出し、卵とミルクの混ぜ合わせを焼皿かカスタード・カップにあけ、ぬるいオヴンで四五分煮る。

クールティーヌのノート――香料にはヴァニラの代わりにオレンジ・フラワー・ウォーターやラム酒、アニゼット酒などのリキュールを用いてもよい。

＊ウー・オー・レーとともに、メグレはミュスカ（マスカット葡萄から造るデザート用のリキュール・ワイン）を飲んだ。

シムノンは別格として、フランスの推理小説に、フランス料理のことを書いたものがそうあるわけではない。ほかの国の作家の方が、かえって好奇心やあこがれを持つせいか、アメリカ物などにも、フランスの現代料理の名が、ときどき出てくる。

もっとも、フランス人だから、フランス料理によく通じていると考えるのも誤解なのだ。私たちが日本料理や和菓子の名をどれほど知っているか、考えてみればわかるだろう。餅は餅屋で、その道の者でなければ詳しいことはわからないにしても、ひどく無関心で何も知らない人がいる点でも、彼我共通している。作家で新聞記者で、モンパルナスの地廻りでもあったミシェル・ジョルジュ・ミシェルは、モジリアニを主人公としてピカソやドランなど、フジタも出てくるパリ派の画家たちの生活を書いた小説「レ・モンパルノー」の作者だ。

この人のインタビュー物の中に、「新青年」にも紹介されたユーモア作家のトリスタン・ベルナールと、彼が菓子屋にゆくところがある。ベルナールは並んでいる菓子の名を、ひとつも知らない。ピュイ・ダムールという、折込みのパイ生地を壺形に焼いて、中に杏子《あんず》ジャムを入れた菓子を見せ、その名を教えると、先生は妙な顔をした、とミシェルは書いている。ピュイ・ダムールは愛の井戸ということだが、隠語では女のあるものを意味する。そして、この菓子の形状は……、あなたは、ごらんになったこと、ありませんか。

ポラールは風変りか？──フランス推理小説の特性と現況

複雑きわまる黎明期の事情

フランスは英米とならぶ三大推理小説圏のひとつである。ところがフランスの推理小説《ロマン・ポリシエ》は英米の評論家から、しばしば調子のちがう、いわば異次元的とさえ見られ勝ちだ。ポオ―ドイルの線で急速に発達したこのジャンルを、英米人が自家の文芸と考えるのは人情だろう。だが、われわれ第三者が自由に小説一般の立場から見ると、やはり正統論的偏狭さが眼につく。

あまり近視的な見方では、推理小説が小説としてかかえている多くの問題を処理できない。もし一部の純粋主義者が唱えたように、作者がトリックの案出だけに精を出していたら、今日の百花撩乱の状況は見られないどころか、推理小説はとうに色あせているかも知れない。

本格変格論は、いまだに純粋論的立場から支持され（あるいは便宜的に用いられ）ているけれども、小説は実際には生きもので、自然発生的な条件もあり、発展過程や流行を異にする場合が入りまじっていて、一概には規定できない。

ヨーロッパ諸国に推理小説が勃興したのは、ドイルのシャーロック・ホームズ物語の影響だった。フランスにモーリス・ルブランのアルセーヌ・リュパンや、ガストン・ルルーのルールタビーユのシリーズが出現したのも、ホームズ物語の驚異的な成功の刺戟による。だが推理小説大国のフランスの場合は、他のヨーロッパ推理小説後進国と、発生の事情をやや異にしている。

ホームズに同調しない者まで、ホームズの成功に刺戟されて書きだした例は英米にも多い。この時代にはポオの影響をまだ腹にためている作家が少なくなかった。しかしポオは真似のできないユニークな作家だから、創作のきっかけをつかみかねていた。それがドイルの出現で具体化した、という見方もできるだろう。そして推理作家の輩出はヨーロッパの隅々にまで及ぶのだ。

フランスは（イギリスと共に）ポオの影響をすぐに受けた。ポオの創作の型はひどく斬新で、そのまま受けつぐ方法がない。イギリスとフランスの両先進国（アメリカに対して）は独自の伝統や流行に、その方法をむすびつけた。

フランスには既に悪漢小説《ロマン・ピカレスク》があり、ポンソン・ド・テライユのロカンボールでは近代的主人公のタイプもできあがっていた。アルセーヌ・リュパンが、このタイプの後継者だと思えばいい。現実にも、泥棒の王で探偵の王というヴィドックのような人物があらわれて回想録《メモワール》を書き、ポオが逆にその影響を受けているのだから、ガボリオーがフランスで、いちはやくポオの影響を新聞小説《ロマン・フイユトン》にして成功する下地はあったのだ。

エミール・ガボリオーは「ルルージュ事件」「オルシヴァルの犯罪」「書類一一三号」などに、（十九世紀の警察ではあるが、とにかく）本職の警察官を登場させた。ウイルキー・コリンズはガボリオーのこの三つの作品の影響で「月長石」を書いたといわれている。コリンズも、そして同時代のディッケンズも、やはり警官を主人公にした。これらイギリス作家には、もちろんポオと、あるいはそれ以上にヴィドックの影響が深い。

フランスやイギリスの文学には当時、自然主義、写実主義など、人間描写の傾向が根を張って来ていた。推理小説が移植されると、やはりその影響で、犯罪社会とか社会の汚点などに実際に対抗する職業人を、前面に押し出す必要があったからでもあろう。

ところが、ポオ自身も、そういう西欧文学の影響を強く受けていた。まだ組織的な警察制度もできていなかったアメリカで、近代的な犯罪事件をあつかうのは無理だという意識が、彼にはあったらしい。それで舞台を先進国のあこがれの都パリに持って行き、主人公の探偵を、はからずも史上最初の名探偵となったオーギュスト・デュパンなるフランス人にした。母国アメリカで実際に起こった殺人事件まで、フランスめかしてしまったのである（「マリ・ロジェの秘密」）。フランス推理小説をとかく異端視する後代の論者は、この黎明期の複雑な事情に頰かぶりしてるようだが、それはかれらがたぶん、その後の推理小説の進展に、ひとつの道を規定してしまったからだろう。

ルルー、ルブランの時代

ポオの影響が、ガボリオー――コリンズ時代の複合的あいまいな形でなく、その論理性の特徴をはっきり出して来るまでには、いくばくの時間を要した。そしてアーサー・コナン・ドイルの素朴な大才能を必要とした。ガストン・ルルーはホームズの刺戟で「黄色い部屋の秘密」を書きだしたのだが、彼がやりたかったのはドイルよりも、もっと理論的なポオに倣って、フランス的合理主義《ラショナリスム》を貫くことだったのだ。

西欧の文学には、国情的傾向（フランス的イギリス的などというもの）と国際的傾向（汎ヨーロッパ主義などといわれるもの）が、よく指摘される。推理小説では、その発生と発展の状況から、国際的な傾向が目立つ。

英米の作品には外国人主人公の登場が多い。イギリス物では特にフランス人の探偵が目につく。お隣りの国だが国民の人物像は、だいぶ毛色が変ってるから、好奇的に主役に採用したのであって、オーギュスト・デュパンの影響とは思えない。それでけっこう名作中の、おなじみの人物になっている者が多い。

デュパンは最初の思考型の探偵だが、思考癖のほかには癖のない重厚な人物だ。メースンのアノー探偵はまあいいとして、ロバート・バーのヴァルモンはだいぶ脱線型だし、カアのバンコランもギニョールの人物を思わせる。ポオは別として、ほかの英米人には、フランス人はどこか調子のくるった、おかしな人種に見えるらしい。それが正統なフランス文学なら、いうことはないが、英米人のお家芸に手を出して来るとなると、まともには評価しかねる、といったところだろうか。

わりあいに偏見の少ないジュリアン・シモンズの現代フランス作家の見方や、その欠点の指摘などには、うなずける点も多い。ジャプリゾやボアロー＝ナルスジャックの弱点を突いているのも、鋭い示唆といえる。だが、やはり正統論臭があって、それ以上の飛躍がないのは、ものたりない。

英米の批評家が例外なく脱帽する作家といえば、ジョルジュ・シムノンぐらいしかいない。シモンズは彼をルブラン、ルルー以後の世界的作家といっている。

ルルーの「黄色い部屋の秘密」は、いつも世界推理小説ベスト・テンの上位におかれているし、ルブランの長篇は構成のお粗末さを、よく指摘されるかわりに、リュパンという主人公の魅力を認めるには、英米の批評家もやぶさかではない。今世紀初頭のこの二作家は、とにかく英米の評論家も、かれらが書いた推理小説史から、はずせない大家だった。その後、いい作家が全然、出なかったわけではないが、数的に英米とは比較にならなかったし、量でも英米の流行作家に匹敵するほどの大物はいなかった。

シムノンの出現から現在まで

シムノンの出現は、だから驚異的だったのだ。作品量でも（時代も違うが）ルブランやルルーの比ではない。彼の描いたメグレという探偵の人間味が、それまで誰も描いたことのない自然な魅力を持っていたことは、誰でも指摘するが、メグレといえども名探偵であるから多分に個性的だ。が、シムノンはわざわざ奇矯な人物を描こうとはしなかった。きわめて自然に彼の主人公をあつかった。

彼の描写法は、写実主義の発展のひとつの必然的な結果で、だから彼の小説の型が英米の作品と非常に違っていても、文学の当然の流れを否定することはできない。英米の批評家がこぞって脱帽した理由はここにある。推理小説に彼がひらいたひとつの道、このジャンルが現代文学として当然たどるべき道の、先導者としての彼を認めざるを得なかったのである。

認めるべきものは認める。かれらはシムノンを読んで、推理小説の新しい興味に眼をひらいた。日本の戦後、新しい英米型の推理小説が出なくて、シムノンの翻訳が続出した時期に、不平たらたらだったいわゆる古い本格ファンとは、そこが違う。

シムノンの世界的名声は、彼の長い作家生活が獲得したものでもあった。彼はフランス推理小説の戦前戦後をつなぐ唯一の大家といってもよかったからである。最近シムノンは沈黙しているが、彼に続く実力者としてボアロー＝ナルスジャックがいる。この人たちも、もうやるだけのことはやったという感じだが、かれらの共同執筆は変化に富み、いわゆる本格短篇にも熱心だったのだから、ここらで本格的構造の長篇をものして、シモンズの批判にこたえてみたら、と私などは期待する。

だが、それはやはりフランスの一般読者には受けないかも知れない。作家が作品を書くには、かれらが所属する社会の現実に根ざしたロマンとしての条件が必要である。それがないと作家としての立場もなくなる、という考えに、すくなくとも作家はふつう捕われている。いわゆる本格物が今日では往々パロディとしてしか書かれないのも、そのためだろう。ボアロー＝ナルスジャックにマジな本格物を期待するのも、残念ながら、むだかも知れない。

第二次大戦後の不毛時代に、セリ・ノワールの形で出た英米の推理小説、特にハードボイルドの紹介出版は、フランスの若い読者層を刺戟した。特に英のピーター・チェイニーやハドリー・チェイスのアクシオンと暴力の小説は、大いにかれらの嗜好に合った。

そこから、シモナンやル・ブルトンの、わが国でも映画で紹介されて有名になったギャング小説、パリの下町に密着する私立探偵、異常者の犯罪、スパイ・スリラー……新しい性と暴力をあつかう暗黒小説《ロマン・ノワール》の、多彩な傾向が出現し、翻訳物にまじって読者の要求にこたえだした。行動的な探偵や行動的な犯罪者は、戦後の日本とおなじ世代の青年の夢だったのだろう。それがロマン・ノワールのいろんな型を生んで（都会ウェスタンというのもある）新しい流行になったといえる。

もちろんガストン・ルルーを生んだフランスには、古い探偵小説への志向も残っていて、ときどき眼をひくような作品もあらわれないことはない。だが自国作品、翻訳もの共に、やはり新しい傾向の方がさかんなようだ。特に新しい傾向として近年、注目されたのは、セリ・ノワール出身の〝若い狼たち《ジューヌ・ルー》〟と呼ばれる若い作家たちだろう。

だが、マンシェット、A・D・Gなど目星しい作家は至って少なく、この狼たちはまだ二、三の一匹狼でしかないようだ。

フランスにも推理文学大賞(グラン・プリ・ド・ラ・リテラテュール・ポリシエール)などの専門の文学賞があって、年に一度、受賞作家を世に送り、受賞作はわが国でも必ず翻訳され、注目されている。とにかく推理小説はフランスの出版界でもブームの部門だといえる。

赤と白

料理の基調色

ラ・コーアとモーゲンセン共著の「殺人読本」のなかに、チェスタートンがある時期、ガストン・ルルーとモーリス・ルブランを同一人物だと思っていた、という挿話が紹介されている。何故そう思ったかというと、ルルーの主人公が本格推理をやる少年名探偵なのに、ルブランの方は壮年の女性に親切な大泥棒の冒険を書く。それよりも作者の名が、ルウは赤っぽい色で、ブランは白、赤毛の男と白髪の男または白人といったことになる。ご承知のとおり、むこうでは人別に髪の色の特徴を重視する習慣がある。そこで、その対照性に衒学のチェスタートンは気がついたわけだ。

こういう色名が、もっと特徴的に使われるのは料理技法の世界である。ルウはどんな色か。辞書などには赤と黄の中間色なんて書いてあるけれども、この説明も明確ではない。毛髪のルウは金髪でも茶色でもなく、もっと赤味がかった、女優でいうとマリリン・モンロー。赤毛女《ルース》はセキシーだといわれ、ヘンネを使ってこの色に染める習慣が、今でも残っている。女の変身を大トリックに仕立てたボアロー＝ナルスジャックの「死者の中から」にも、これが効果的なデテールとして使われている。

この頃はテレビで料理番組がさかんだから、バターを火にかけて溶かし、メリケン粉を加えて掻いたのを、ルウというぐらいは誰でも知っているだろう。この言葉はもちろん粉の焦げ色から来ているわけだが、ソースをどろりとさせる索《つな》ぎとして、これを使う。魚料理などに使う白ソースの場合は、ほとんど粉に焦げ色をつけないが、ドミ・グラスが代表するブラウン・ソースには、よく炒めたのを入れる。

ドミ・グラスはホテルや大きなレストランなどで大量に仕込んでおく肉用のソースで、専門店のフランス料理独得のものだから、いわゆる各国料理や郷土料理には当然、使われない。わが国で流行のスパゲッティ料理には、ミラネーズとナポリテンと俗に呼ばれている二種類のやり方が、たいがい、どこの店のメニューにも出ている。これは、どちらもイタリア料理の、フレッシュ・トマトを多分に使ったソースの名前で、ナポリテンの方がミート・ソースである。横浜の元町に店を出していたラグーザの男、ジョオ・アマデオ君は、ドミもケチャップも使わねえ、と頑張っていた。

イギリス作家のガリア趣味[*1]

ヴィクトリア朝以来のイギリス作家には、フランス文化やフランス人に好奇心を持つ人が多い。クリスティーのエルキュール・ポアロ（ベルギー）や、カアのバンコラン（仏）など、かれらが好んで登場させる探偵を引合いに出すまでもないが、クリスティー女史が、女性としてフランス男には興味がある、とはっきり書いているのは面白い。シャーロック・ホームズは、ポオのデュパンやガボリオーのルコックを、馬鹿にしたようなことをいうが、やはりこの先輩達を意識していたことは間違いない。わがチェスタートンも、イギリスの国教アングリカンが目の敵にするローマ・カトリックの神父を、天衣無縫の名探偵に仕立てている。フランボーという、もと大泥棒を助手として登場させるなども、フランス古典探偵小説（いまフランスでいうロマン・ポリシエ・クラシックは、いわゆる本格物のことで、それとは違う）の取入れと考えていい。

当時有数の学者評論家で、ディレッタントとしては特級のG・K・チェスタートンは、彼の精神的遺産の一部を受継いだジョン・ディクスン・カアが描く探偵役の、フェルやH・Mといった人物でも想像されるような、相当の食通でもあるだろうから、

＊1　本項では『黄色い部屋の秘密』の犯人名が明かされているのでご注意。

こういうことをいろいろ知っていた上に、なんといっても彼はシェクスピアの血を引く駄洒落や地口の名人だから、同時代の二人のフランス作家を、同一人物とは信じなかったまでも、わざとそう思いこみたがったのかも知れない。この二人の名前の対照は、チェスタートンの連想ゲームだとしても、かれらの作風には確かに対照的なところがあって、その一面、共通点がなくもない。ルルーの「黄色い部屋」や「黒衣夫人の香り」では、フレデリック・ラルサンなる、もと大悪漢の大探偵が主要人物の一人だし、ルブランの「奇巌城」には、イジドール・ド・バンヴィーユ[*2]という天才的な推理能力のある少年が出てくる。だから同じ作家が書分けのために名前を二つ使ったという推測が成立つわけで、実際にその後アンソニー・バークリのフランシス・アイルズ等々、その傾向が多くなる。だが、犯罪者・探偵の二面性は、フランスでは悪漢小説《ロマン・ピカレスク》の流れで、二人《ひと》の後継者も等しく、その影響を受けているぐらいなことを、チェスタートンが知らないわけはない。

彼がルルーをルブランに色をつけた筆名かと思ったというのは、ルパン物の第一作が出たのが一九〇六年、ルールタビーユの方は翌一九〇七年に現れ、ルブランの方が一年先輩だからだ。料理の方で、ルール・ブランというと、無色透明の、早くいえば水。なま物に熱を与えて加工する方法としては、じか火と共に最も素朴なものだが、こちらの水炊きのように、肉を水から煮こむやり方を、オー・ブランという。ところがフランスには、このルブランやルルーのように、色をあらわす形容詞からできた男性名詞を姓にしたのが、沢山ある。ルブロン（ブロンド）というのもあるが、別に珍らしい名ではない。

フランス探小書誌学

いうまでもないが、これを読むそそっかしい人のために念を押しておく。モーリス・ルブランとガストン・ルルーは別人である。ルルーは、一八六八年にパリで生れた。敏腕な新聞記者だった彼が、絵入新聞に「黄色い部屋」を連載したのは一九〇七年だが、彼がこのジャンルに志向したのは、直接にはマンシュの海をへだてた隣りの国に出現したアーサー・コナン・ドイルの影響によるものだと思う。ルルーは青年時代、たぶんホームズ物に読み耽ったことだろうし、ドイルが一度、殺してしまったホームズを、読者大衆の要望でよみがえらせた「シャーロック・ホームズの帰還《リターン》」が出版されたのは、一九〇五年だったことなど考えると、この想像はまんざら的はずれで

＊2　正しくはイジドール・ド・ボートルレ

もないように思える。

ルブランはルルーより四歳年長で一八六四年にルーアンで生れた。ドイルよりは五歳年下だった。私とルパンの出会いは小学生の頃で、三津木春影訳述の「大宝窟王」(保篠龍緒訳では奇巌城)、この本にはたしか龍伯*3という名で、このわくわくさせる主人公が登場する。忠実な訳書ではないが夢中になって読んだ。ルパン物の処女短篇が載ったのは一九〇六年に出た「ジュ・セ・トゥ」の創刊号だというから、私はまだ生れてないが、この雑誌は私の青年時代まではあった。その後お目にかからないが、小型で挿絵のたくさんはいった誌名どおり家庭読物総合雑誌とでもいうもので、私が読んだ頃には、トウドウズなどが流行作家で活躍していた。

ルパン物の原本を片っぱしから読んだのは、作者がこの怪盗兼名探偵の活躍をほとんど書尽してしまった後の、「ドロテ」や、ルパンの変身ジム・バルネが活躍する「バルネ探偵局」などが新作として、まだ出版されていた時期だったはずだ。処女短篇を集めた第一作の「アルセーヌ・リュパン・紳士強盗《ジャントルマン・カンブリオルール》」や次作の「リュパン対ホームズ」は、その後すごい人気者になって、作家にレジオン・ドヌール勲章までもたらした奇抜な大泥棒を、はじめて世に送っただけで、隙間だらけの不完全な作品である。作者が何の用意もなしに書出したというのは、たぶんほんとうで、すくなくともルルーが「黄色い部屋」を書いたときのような抱負はなかったろう。ルブランの作品で、厳格な批評家のヘイクラフトが、はっきり賞めているのは、「八点鐘」だけだ。彼がいうほど駄作ばかりでもないが、たしかに特にこの短篇集は後世に残るだろう。

　このハワード・ヘイクラフトは名著「マーダー・フォア・プレジアー」の中で、W・H・ライト（作家としてはS・S・ヴァン・ダイン）が「傑作探偵小説集《ザ・グレート・デテクチヴ・ストーリーズ》」で、ルブランの死去した年を一九二六年と書いたのは間違いだ、と指摘している。だが、実際の卒年は彼も書いてない。ライトの有名な選集が出た時には、たしかにルブランはまだ生きて仕事をしていたが、ちょうどヘイクラフトの本が出た一九四一年に死んだので、著者は当時、彼の死を知る由もなかったのだろう。ルブランは「紳士強盗」を書いたとき、すでに、あまりぱっとしない作家だった。ルパン物が読みたくて、同じ出版社の同じ装釘のルブラン全集を片っ端から読んでいると、突然、宗教的な少女小説に出っくわし、うっかり一冊読まされてしまって、出版社の無神経というか、そののんびり加減にあきれたこともある。ルブラン自身も出

＊3　『大宝窟王』の主人公名は隼白鉄光《はやしろてつこう》。龍伯は保篠龍緒によるルパンもどきの主人公。

版社に劣らない、のんびりした陽気なフランス人で、一度はホームズを殺しかけたアングロ・アイリシュ系のドイル卿ほど、複雑な気質は持っていなかったようだ。

緋色の研究

ルルーのルーは赤ではないといったが、赤はルージュで、チェスタートン流の地口を発展させれば、ルブランに対立する名は、ほんとうはガボリオーの「ルルージュ事件」のルルージュだといえるだろう。食事の方でルージュとブランの対照が、いちばん顕著なのは、ご承知のように葡萄酒だ。赤のヴァン・ルージュと白のヴァン・ブラン。この違いは、ジュースだけを醱酵させれば白ができ、皮をいっしょに潰して使えば赤ができる。ぶどうの種類に拠るのではない。ビールに薄い色と濃い色のがあって、この両種は古代エジプトの時代から造られていた（薄色のビールを知らない人はドイツ・レストランに行ってごらんなさい）。だが、葡萄酒のように同じ原料から、はっきり色分けのできる酒が造られてる例は、ほかにないだろう。ただし地酒は赤でも白でもなく、ルー色にちかい。

「レッド・ハーヴェスト」のレッドも、「ア・スタディ・イン・スカーレット」のスカーレットも、フランス語ではルージュである。ドイルのホームズ物の処女作、「緋色の研究」を私は最初、仏訳の「エチュード・アン・ルージュ」で読んだ。赤い布装で木版挿絵入の、戦火で焼失したのが、ちょっと惜しい本だった。ドイルの長い物で、へイクラフトが嚙んではきだすようにいうのは「恐怖の谷」だが、この処女作も彼は認めてない。実際、前半は奇怪な事件の発端と、シャーロック・ホームズという特異な人物の精細な紹介描写で、引込まれるが、後半では拍子ぬけで、がっかりする。

しかし、新天地の曠野の平板な描写ではじまる後半が、案外ドイルに幸運をもたらしたのではないか、という気もするのだ。「緋色」の初版本の失敗はドイルに、彼の素晴しい創造物ホームズを、それきり永久にあきらめさせるところだった。だが、これを読んだアメリカの雑誌社から二年後に口がかかり、それからホームズの探偵物語が続々と世に出るようになったきっかけが、案外そんなところにあったかも知れないと思うからである。

アメリカ・アメリカ

アメリカの創世記

アメリカ大陸が世界の歴史に参加したのは、十五世紀以後の大航海時代からだ。それより前の十、十一世紀に、ノルマン人がこの大陸に渡った痕跡がある。だが、この中世のヨーロッパ人は、そこに長くとどまらなかった。だから、ルネッサンス以前の原住民は、小麦粉のパンを食ったこともなし、ほかの穀物も米以外は知らなかったわけだ。

アメリカ原産の唯一の穀物はとうもろこしで、これは小麦と入れかわりに、ヨーロッパに渡った。新大陸を開発したのはヨーロッパ人だが、とうもろこしのほかにも、じゃがいも、さつまいも、とうがらし、トマト、葛いも、その他、嗜好品のチョコレート、特にやがて世界中の人の指をヤニ色に染めるようになった煙草など、ここの原産で近代人の日常生活の形をきめる役をしたものは、たくさんある。

イギリスは十八世紀までに、ここに十三の植民地をつくった。フランスやスペインも割りこんで、それぞれ広大な土地を領有した。北部は商工業地として発展したが、中南部では農場経営に大量の黒人奴隷の労働力が導入された。英植民地は団結して本国に反抗し、ついに合衆国の独立を獲得する。十九世紀になると、ヨーロッパからの移民が増加して、東部から西部に移動し、太平洋岸の開拓がはじまる。かれらは奴隷制度には反対で、共和党のリンカーンが推されて大統領になると、南部は連盟から脱退し、南北戦争がはじまる。

この時代は、アメリカという近代国家の創世記みたいなもので、アメリカ映画の傑作「小さな巨人」を見て、私はまるで神話のない現代アメリカの古事記でも読んでいる気がした。

とうもろこしの効用

ところで未開時代には、とうもろこしのほかに主食になるような穀物はなかったのだから、インデアンの生活は、この食物に負うところが多かったはずだ。古いアメリカ映画に、こんな場面があった。ニール・ハミルトンという若い俳優が、公園で恋人に逢う。ひと足さきに来て待っていると、とうもろこし売りがやってくるので、ゆでたてのとうもろこしに、からしバターをたっぷり塗ったのを、恋人と二人で食べるために、二本買う。アメリカの古きよき時代の都会もので、どんな話だったか完全に忘れたが、この場面だけはっきりおぼえているのは、たぶん私自身が、そのとうもろこしを食べたかったからだろう。この若いニール・ハミルトンが、テレビの「バットマン」で、皺《しわ》くちゃのこわい顔をしたゴッタム・シティの市長役をやっているのだから、まさに隔世の感である。

とうもろこしの収穫期には、こういう穂のままで焼いたり、ゆでたりする食べ方を、大昔からしていたはずだが、食いきれないものは曝干するか、火にあぶって貯蔵し、粒をほぐして食う。ポプ・コーンはアメリカ人の好物で、野球場などで中売りしているが、この、はじけとうもろこしの製法も、似たものが、かなり古くからあったのではないだろうか。

さらに粒を砕いて粥にしたり、もっと進んだ段階では粉に挽いて、コーン・ケーキや煎餅のようなものを、つくるようになる。とうもろこし酒もあっただろう。アメリカのウイスキー(バーボン)は、クレイグ・ライス女史の名探偵マローン弁護士が、ケチをつけながら、よく飲む酒だが、とうもろこしの蒸溜酒である。カナダ・ウイスキーの原料はライ麦だから、バーボンの方が、この大陸固有の酒に近いわけだ。

さつまいものスーフレ

女流作家が酔っぱらいの探偵に親愛感をこめるのも、おもしろいが、ライス女史と同年代のステュアート・パーマーは、彼のオールドミス探偵ヒルデガルド・ウィザーズに、スーフレ型の帽子をかぶらせている。スーフレは膨れたという意味の仏語だが、英米物の翻訳を手がけている人の参考までに、すこし説明すると、この場合はポンム（じゃがいも）・スーフレとか、ベーニェ（フリッター）・スーフレなどという、ただ膨らましたフライでなく、独立した料理（名詞）だ。粉生地《ペースト》に泡立てた卵白を加え、型に入れてオーヴンで焼くのだが、混ぜものに肉や肉汁を用いると軽い料理になり、その種類は多い。レモン汁など加えて、食後の温い甘味もつくる。白身の泡立てが膨脹の作用を持つことは、中国料理のべらぼうに膨れあがった玉子焼などが、いい例である。あれはオムレツのように、フライパンで焼くのではなく、シナ鍋で揚げるのだが、ふくらし粉などは使わない。白味を別立てにして加えるだけで、鍋いっぱいに膨れあがるのだ。

スーフレの生地はオーヴンの中では、よく膨れるが、さめると凹んでしまう。粉をたくさん使えば、そんなことはないが、デリケートでなくなる。そこがむずかしい。ウィザーズ嬢の帽子は表面がすこし凹んだスーフレの形。これで蝙蝠傘を持つと、ちょっとうらぶれた老嬢の典型的なかっこうができあがる。ついでにアメリカのアメリカらしいデザートをひとつ製法を書いておこう。

スイート・ポテト・スーフレ

——砂糖二五グラム、バター三〇グラム、塩微量を鉢に入れ、別に沸かした牛乳二・五デシリットルを加えて溶きまぜる。さつまいもは生で皮をむき、卸し金で磨りおろす（五〇〇グラム）。これを鉢に加え、卵黄二ケ分を混ぜてから、乾ぶどう六五グラム、くるみ（刻んで）六五グラム、ナツメッグの粉末五グラムを入れる。最後に卵白二ケ分を固く泡立てて加え、これをスーフレ用の型（ふつうの菓子を焼く丸型《タンバル》でも、サービス用の銀の深皿でもかまわない）にあける。その上にマシュマロー一五ケを並べて、中火のオーヴンに入れ、表面が充分に盛りあがって色がつくまで（四五分ぐらい）焼く。前にいった理由で、熱いうちに食べること。銀皿や耐熱ガラスの器を使うと、型ぬきしないでテーブルに出せるから、便利である。

アメリカ料理とは

アメリカは独立した植民と移民と解放された奴隷と、原住民のインデアンやエスキモーと、もうひとつポリネシアンの国だから、国民の食い物は多種多様なわけだ。食糧もヨーロッパとの交流で種類が豊富になったし、モンロー主義の不干渉外交をやっていた時代も、実は中米を圧迫し、南米には経済侵略をおこなう、アメリカ帝国主義の興隆期だったのだから、南方の豊かな物資もはいって来た（ヨーロッパに渡った農作物は、ほとんど南米の原産である）。

アメリカの代表的な現代料理は、ほとんど外から持ちこまれた出身地の郷土料理が、現代化したもので、日本でも昭和になってから流行しだしたハンバーグや、フライド・チキン、マカロニ・グラタンなどは、それ以前の町場の、いわゆる洋食屋のメニューになかったもので、アメリカ料理の導入と考えていい。

そのハンバーガー・ステーキとか、ハンバーガー・ポテト・チーズ・パイ。ペンシルヴァニア・ダッチのハセン・クッカ（兎料理）やショー・フライ・ケーキ（糖蜜パイ）、南部のハシュ・パピーズ（フリッター）等々、その名前でもわかるだろうが、海外出身地の多様性をしめす料理や菓子が、たくさんある。

欧化時代の名探偵

アメリカは第一次世界大戦に参加した。戦争中は同盟国の糧秣・需品廠の役を引きうけ、国内も好景気に酔い、ウィルソン大統領は平和条約でも大活躍した。だが、共和党が禁酒法を実施した二〇年代の終りに、パニックが来て、近年アメリカが当面したようなドル危機に見まわれる。この恐怖は間もなく世界中にひろがるのだが、共和党政権はお手あげになり、民主党のフランクリン・ルーズベルトが大統領に当選する。それから第二次大戦までが、この人の時代だが、アメリカが本式にヨーロッパの仲間入りをしたのも、この二〇年代の終り頃からだ。文学ではフォークナーやヘミングウェイの初期の傑作が書かれ、推理小説ではヴァン・ダインの処女作「ベンスン殺人事件」が出て、アメリカの探偵小説はひと晩で大人になった、と評論家のヘイクラフトをうならせたのも、その頃で、アメリカはパリ仕込みのモダニズムに夢中だった。ヴァン・ダインは第一次大戦がはじまる頃、パリに滞在していたし、彼の探偵ファイロ・ヴァンスは博言学者で、ディレッタントで、いくぶんスノッブで、現代フランス絵画に明るいバチェラー紳士だから、彼の食卓を占めるのもフランス料理で、製法にもくわしいそうだ。ダネイとリーのエラリイ・クイーンも、ヴァンスの影響で、なかなか洒落者の凝り屋だから、かれらが活躍する小説には、当時パリで流行していた現代フランス料理の名前が出てくるが、その話は、また別の項ですることにしよう。

だが、アメリカを語る以上、推理小説の始祖といわれるエドガー・アラン・ポオに敬意を表さないわけにはいかない。はじめイギリスから大西洋を渡って来た人達は、最初に根をおろした土地をニュー・イングランドと呼んだ。カナダに来たフランス人が、そこをヌーヴェル・フランスと名づけたのと、同じ意識である。ここはいまでも地理的にアメリカの政治経済の中心だが、ポオはこの地方にふくまれる、マサチュセッツの古都ボストンで生れた。だが、ここではポオ伝を語るのが本意ではない。最後にボストン風の魚のスープの作り方を紹介しようというわけだ。読者がバチェラーなら、またもしポオのように幼な妻を持っているならなおさら、晩飯は自分でこさえて、この名詩人をしのぶのもよかろう。

ボストン・スタイル・フィッシュ・チャウダー

水二リットルに塩、胡椒、玉ネギ小一ケ、セロリ一本、タイム、ベイリーフ、魚の頭と中骨（魚はスケソウダラの頭つき一キロ二〇〇ぐらいのを一本使う。アコウダイなどでもいい）を入れて沸騰させ、一五分煮てから汁を濾す。魚の身は二、三センチ角に切る。豚の脂身二五〇グラムに塩をまぶして、しばらくおいたもの（ベーコンでもいい）を刻んで、鍋に油をすこし入れて、いため、玉ねぎ一〇〇グラムを細かく刻んで加え、それが透きとおってくるまで、いためてから小麦粉二〇グラムを加えて溶きまぜる。じゃがいも三〇〇グラム（皮を剝いて細かい角切りにする）と、前にとっておいた汁を加え、中火で一五分煮る。そうしたら魚の切身を入れて弱火で一〇分煮る。最後に牛乳四デシリットルを注ぎこんで一度、煮立て、塩（味を見て足りないと思ったら）、胡椒して、非常に熱いうちに出す。

V　ミステリーの季節

炉辺の名探偵

思い出の炭火

私達の国はヨーロッパにくらべると緯度が若い。つまり、南に寄っているから、かなり暖く、東京などの気候は亜熱帯に近い。もっとも、熱帯地方でも、冬の雨期などに雲が深く垂れこめた日は、意外なくらい寒いものだ。だからパリやロンドンなど西欧の都市にくらべれば温い東京でも、一年の三分の一以上は、火の欲しい日々が続く。最近はいろんなヒーターが出来て、畳敷の家庭でも、ほとんど炭火を用いなくなったが、私達は長いあいだ火鉢と炭火にたよって東京の冬を越して来た。

木炭というのは日本独特のものだと思っている人が、いるかも知れないが、ヨーロッパでも古代から使われていたし、いまでも使っている。家庭燃料としてではないが、料理の方だと、チャーコール・ステーキなどという、炭火焼きのステーキ。鉄板焼きなどよりは丁寧な焼き方である。おめでたい鯛の塩焼は、金串を打って、じか火で焼くが、フランス料理でも、ブロイラーに小枝の堅炭をおこして、グリルにフヌイユという香草を敷き、その上で鯛の類のドーラードなどを塩焼きにする。料理以外にも、特殊な用途に、木炭はいまでも使われているはずだ。

ガストン・ルルーの名作「黄色い部屋」は半世紀ほど前に書かれたものだが、あの中にパリ郊外の炭焼場の跡が出てくるのを、記憶しておいでだろうか。たしか、靴の底についていた土から、そこを通ったことを指摘するといったホームズ流の着想が、ちょっとしたデテイルに使われていたはずである。

火鉢は戦前の私達の生活に、なくてはならないものだった。まっしろに貼りかえた障子と、きれいにならした灰の中に赤々と光っている炭火は、静かな冬のたたずまいだった。戦争中は木炭が不足して、薪を小口切りにしたのを、おこした炭といっしょに火鉢にいけ、灰の隙から立つ煙を我慢しながら、手をかざしたものだ。戦後は、しがらき焼の火鉢が東京にも出廻って調法した。瀬戸の大火鉢は陶器の肌が熱して、部屋の空気をあたためる役目をする。だが、こういう風俗も、いまの市民生活からは影をひそめてしまった。

火鉢は石油ストーブとおなじで移動できるし、いらない時は、しまっておける。せわしくて手狭な町の生活や官庁などの便利のために普及したのだと思うが、その原型は囲炉裏《いろり》で、炉の古い形は、土間で火を焚いた地炉《じろ》だろう。とにかく火は、もとは一定の場所で焚かれ、それが家庭の中心になり、主人の居場所をきめるものでもあった。炉は、戸主、主婦、客などの座のきまりと共に、地方にはまだ残っているところもある。都会の生活から人間らしさが、ひどく稀薄になってくると、そんな古くささまで尊く見えてくるから、ふしぎである。

炉と煙突

欧米で囲炉裏に相当するのは、壁に切った炉だろう。ヨーロッパ語類にも、炉を意味する言葉が、家庭やコミュニティをあらわしていることが多い。これは煖房であるよりも、むしろ炊事用の炉だった。煖房用の壁炉は、比較的、間数《まかず》の少ない都市のアパートメントでは、主人の部屋にあるのがふつうである。私の訳したボアロー＝ナルスジャックの「かわり猫」には、セントラル・ヒーティングのある最近のアパルトマンで主人の書斎に、ほとんど使われない壁炉《シュミネ》がついている。こんなのが現況だと思えばいい。居間にも台所にも、熱源はあっても炎の見えない生活に、だんだんなって来ても、石器時代に山火事の残り火なんかを、はじめて家庭に取入れた火の魅力というものが、人間には忘れられないらしい。太い薪《まき》が壁のくぼみで燃えている気分を味うために、炉はいまでも、むしろ装飾的に用いられているわけだが、古典推理小説の時代には、これはなくてはならないものだった。

江戸川乱歩賞の本賞は、シャーロック・ホームズが部屋着を着て、パイプを持ち、背の高い肱掛椅子にかけているブロンズ像で、堀進二氏の作品だが、この背景に壁炉が燃えてないと、さまにならないわけだ。霧の深いロンドンのベーカー街でも、大西洋のむこう側の、ポオの故郷ニュー・イングランドでも、壁炉のある部屋は不可欠な冬の避難場所で、ポオもアルコールのにおいをぷんぷんさせながら、火のほとりに濡れた外套を掛け、まだ雪のこびりついている長靴を脱いだことだろう。

仏語のシュミネは英語のチムニーだから、これは煙突に続いている。煙突のない壁炉なんてのはガス・ヒーターでも置く場所でほんとうの、くだらない装飾だ。クリスマス・イヴには、サンタクロースが、贈り物のはいった袋をかついで、屋根から、この煙突づたいに降りてくるのだという。むかしのドタバタ喜劇には、屋根の上で悪漢と警官が追いつ追われつし、煙突の中に落ちて、下から灰だらけになって這い出す、なんてシーンがよくあった。だが、煙突がそんな簡単な構造だったら、たいへんなことになる。

それでなくても、パリあたりの、以前の古い構造のアパートでは、風の強い日には炉から風が吹出して、絨毯が灰だらけになり、大騒ぎをしたものだ。もちろん途中に仕切りがあって、神通力のあるサンタなら、いざ知らず、泥棒氏が筒抜けに下の部屋まで落っこちてくるわけには、いかなくなってるのだが、煙出しの隙間はあけてあるから、出来が悪いと、風が吹込むわけだ。

とにかく壁炉は一応、屋上に続いているので、密室ものでは問題になる。例によって誰の作品だか、明確なところを忘れてしまい、調べる暇がないのも恐縮だが、カアかクイーンか、でなければメースンあたりだということは確かだろう。その本格大作の中で、密室工作のデータに、壁炉の構造が実に詳細に書かれているのがあった。この頃、本格という肩書が、またぞろ、やたらに使われているようだが、本格というのは、どういうものか知るためにも、こういう作品を面倒がらずに、よく読んで頂きたい。それでも退屈なら、もう読まなければいい。ただし、クイーンやカアの秀作は、トリックばかりが優れているだけではないことを、お忘れなく。

神の火と悪魔の火

炉は炊事用のものがはじまりだといったが、わが国でいえば、かまどである。南中国語で台所を灶脚《トオカア》というが、かまどは台所の中心というより、原始的な単室家庭の場合は、家の中心だった。戦後、外地から帰って来たとき、東京の家が焼失していたので、田舎の疎開先の農家へ行くと、その家では土庇《どびさし》の下に泥をかためた小さなかまどが築いてあった。上に丸い穴があいてるだけで、そこに鍋釜をかけ、藁火を燃やす。米作農家の、もっとも原始的なかまどだろう。だが、日本にも中近東などにも、火床が用途別に区分された複雑な構造のかまどが、古くからあったことは、考古学や民俗学の研究で明らかにされている。そして、かまどや炉の火は、いろんな信仰や幻想を生みだしている。

去年の暮、正月用の花を買いに行ったら、荒神松を売っていたので、いまでも荒神棚のある家が多いのかと、すこし意外な気がした。むかしは棟割長屋《むねわりながや》の台所でも、小さな棚を吊って荒神さまのお札を貼り、松を供えたものだ。この神さまは三宝荒神《さんぼうこうじん》といって、仏教では仏法僧の三宝をまもることになっているが、ひどく不浄をきらって、かまどの火の中に住んでいる。それで、火、かまど、台所の神になったわけだ。ホメーロスの叙事詩に歌われている英雄の会食のようすは、前にお話したはずだが、まず焼けた肉の小片を炉に投げこんで神に捧げる。火がそれを神に送る役目をするわけで、ギリシアの神々は、火が炭化して消滅させてしまう食物や、その煙を養分にした、というようなことも古代人は考えていたらしい。

腕のいい料理人には、腕自慢で、他人の仕事にケチをつけたがるのが多いものだが、ギリシア喜劇でも、そういうのを誇張して取上げている。都市の生活が洗練されて贅沢になり、自由民の身分になった料理人の中で、優秀な者は引張凧になった。料理技術が消費的社会の流行になって、技術者がテレビの料理番組に登場する現代とも、どこか共通する。そこで料理人の自己宣伝も派手になるから、諷刺劇のネタにもされたわけである。

デメトリウスの「名士」という喜劇の中で、ある料理人がいう。「……ラカレスとかいう男は飢饉のとき友達を招待し、女神ミネルヴァに、お伴ぬきで、ご馳走したそうだが、おれなぞはユピテル（ゼウスのローマ名）を、彼の行列ぐるみ饗応してるぜ。神々の王は、おれんところのかまどの煙しか、召上らないんだ」そばから、「だが、きみが料理をつくらないときは？」と、きくと、「その時は、ユピテルも食事ぬきさ」いつもかまどをきれいにさせておくために、荒神ぼうきというものを人間に考え出させた潔癖な三宝荒神が、かまどの火の中にいたり、ゼウスやミネルヴァが焼肉の煙で肥《ふと》っていた頃には、火はまだ公害を生まなかった。人間が地獄の火を取出したのは、新プラトン主義以後の神秘思想や、オカルチズムの流行からで、煉金術者のるつぼの中で怪しい混合がはじめられた時だ。炉の火の中にも次第に怪しいものが棲むようになった。ディクスン・カアなども、だいぶお気に入りらしい幻想の動物サラマンドル。

こいつは両棲類で、その最大の種類は日本特産の山椒魚だが、ヨーロッパでは、むかしは火の中に棲んでいると思われていた。

火の精のサラマンドルは、水の精オンディーヌのように、ときには美しい女性の姿になる。若い男が壁炉の前に坐って、ぼんやり火に見入っていると、そこから魅惑的な娘が、裸の輪郭をめらめらさせながら出てくる、といったエロチックな幻想が、アナトール・フランスの「焼鳥屋鴨脚女王」などに描かれている。悪魔的幻想も、この程度にとどまっていたうちは、よかったが、やがて煉金術が実験科学の段階になると、人間の物をつくる力は際限なく強大になって、火はウランなんて恐るべきものまで溶かすようになり、急速な進歩は急速な滅亡へと、悪魔に凱歌をあげさせる結果を、心配する声も多くなってくる。くわばら、くわばら。はじめに話の出たチャーコール・ブロイラーを、フランスではサラマンドルともいうが、火の精は料理場に閉じこめておくに限る。

庶民性の問題

恐怖は外からくる

ジェームズ・ケインの処女作「郵便屋はいつも二度ベルを鳴らす」は戦後、翻訳されて非常に新鮮な刺戟を与えた。だが原作の発表は昭和初期で、ケインは中年からの作家だから、故江戸川乱歩氏より、すこし年上のはずである。この秀作は、その後の「倍額保証」「セレネード」と共に映画化されているはずで、読まないでもその方で見たことがおありに違いない。このシャープなクライム・ノベルは新時代を画した作品のひとつだが、ハードボイルドの系列に突込まれたり、流行の色調の中で、ぼかされて、その功績が忘れられ勝ちなのは残念でもあり気の毒でもある。

ところで、問題は郵便屋さんの方なんだが、古いところでは、G・K・チェスタートンのブラウン神父物に、あるように、推理小説にはときどき、この郵便配達《ポストマン》が姿をあらわして重要な役割をやる。

知合いの客でも予告された訪問者でもなく、突然、他人の家にやってくる者、証券や自動車のセールスマン、保険の外交、モルモン教の入信勧誘（ただし日本の話）などは、ドアに鍵をかけたまま声の対応だけで追払えるが、月末払いの集金人や、速達、書留、郵便受には大きすぎる小包を届けにくる郵便屋さん、デパートの配達なども、戸をあけてやらないわけにはいかない。事件が起きても、かれらはたいがい被疑圏外におかれる。だから、チェスタートンみたいな意外を演出する者は、そこに目をつけるわけだ。

押売もむかしはマッチ・亀子束子《かめのこたわし》・電球などを持って来た。クロード・ネオン氏の発明が、まだ家庭まで普及しなかった頃だ。中年の女が多く、物欲しそうな眼つきの子供を連れたのもいた。「連れあいが長のわずらいで……」とか、「××炭鉱の事故で連れあいに死なれ、世話の焼ける子供が三人……」など、いちはやくニュースを取入れたりして、涙ぐましく持ちかけてくる。今と違って、まだ同情の度合いでも連れあいなる者の比重が重かった。

これが戦後、ゴム紐を売りにくるようになると、どういうわけか、務所帰りの凄みをきかせたような男に変った。務所といっても事務所じゃない。ゴム紐には何か凶悪なイメージがあるのだろうか。警察が軽犯罪にすこし力を入れるようになってから、押売は数が減ったようだが、そのかわり合法的で高級な押売……といっては失礼かも知れないが、ある有名な英語の百科事典の購読契約を、夜間の内職に取って歩いている大学の先生が、知人の紹介で訪ねて来たことなどもある。自分が買いたくない責任のがれに他人を紹介する奴も奴だが、こっちも厖大な書物だから分割でも払いが苦しい。といって、ほんとうのことをいうのも癪だから、聞齧りの知識で、「版によっては欲しい部があるのだが……」など愚図ってると、そういうことはむこうの方がよく知っているから、「先生のおっしゃるのは一八××年版の宗教の部じゃございませんか」「ええと、そうそう」「ああいうものは、まったく……」手にはいらない。はいれば出版元の方が欲しがる、という顔で、なんとなく尻尾を巻いて帰ってくれる。だから物識りは弱い。

こんなのは上等な方だが、その後、同じ本の若いセールスマンが、若妻が一人で留守居している団地家庭か何かを狙って、ワイセツ罪（殺人罪まで行ったかどうかは忘れた）をはたらくという実際の事件が起こった。こういう場合、あいてが承知で中に入れたのだから、ワイセツ程度なら罪は案外かるいだろう。と思うかも知れないが、飛んでもない。売物が百科事典の揃いだけに、かなり重かったとか……

人間の持つ保守性か、それともむしろ動物的本能か、外からくる見知らぬものには多少の恐怖感や無気味さが感じられる。人間がじかにやってこないでも、匿名の手紙・怪電話、いわゆる幸運の手紙というものなども、やはり恐怖を運んでくる。この恐怖はどこからくるのか。——人間の生活はお互いに開放的でない。人間そのものが、不吉な予測から逃れられない。そういう形で運命などということを漠然と信じている。で、家の壁を厚くし、ドアの内側に鎖をとりつける。そうやって恐怖は育つ。そいつを利用して脅迫のあの手この手を考案する奴が出てくるし、内外の推理小説のタネにも、さかんになっているわけだ。

谷崎潤一郎氏や江戸川乱歩さんは生前、死亡通知の電話を新聞社や知人にかけられて迷惑した。どうせ誰かの悪戯だが、犯人は誰か、仲間うちで推理して面白がったりしたのは、いま考えるとタチの悪い笑い話である。

しかし、むかしから特定の地方には旅人を歓待する開放的な習慣があった。エスキモーの首長などは遠来の客に妻君を貸し、客が遠慮すると侮辱したといって怒るそうだ。ホテルのはじまりは、いまでもイランなどに遺跡が残っている隊商宿《キャラバンサライ》だというが、そういうものが、まだなかった頃の、古代社会の旅行者はどうしたかというと、国はちがっても家と家のつきあいが物をいう。たとえば小アジアからギリシアへ、おやじの知合いをたよってゆく。その家では彼の顔を見て、「なるほど、きみは親父さんそっくりだ」といって歓迎してくれる。いわゆる顔手形が通用したのである。

だが、こういうのは、異国人が珍しかった土地や時代に限られるのかも知れない。現代のアラスカは観光地だ。カッパドキアなどの、隠者の聖堂あとの岩窟でも、いまは壁掛をかけ、土地の娘がタンバリンを鳴らして、旅行者に踊りを見せてるという。台湾の蛮地では、入口の石門を超えた他民族は、そのまま姿を消してしまう。そういう話が太平洋戦争の頃までは聞かれた。いまでは音楽的な米搗などが観光の呼物になってるようだ。それを見て楽しむ先進国の人たちは、ますます孤独者の集まりに化してゆく。

東京など、この頃は外で、子供が集まって遊んでいるのを、見たことがない。市域外でも、もうそういう風景は見られなくなった。子供もそれぞれ急がしくて、家の中で兄弟喧嘩でもするほかに野性的な精力のはけ口を持たなくなったらしい。

まぼろしの夜景

歩行者天国とか、新宿などでやろうとしている、ゆとりのある新市域計画とか、まことに結構だけれども、人間には大人にも子供にも、もう自分勝手に動きまわれる場所がなくなり、一定の規格の中で与えられる、ゆとりや楽しみしか持てないのだろうか。銀座通りから夜店が取払われたのは、駐留軍の命令だというが、週日のさびしい宵の口の銀座を通ると、雑多な物を売る夜店の裸電球が並んでいた戦前の銀座八丁がときどき眼に浮かぶ。この露店商の仲間から締め出された食い物商売の組合が、蟹連合会とか自称していたのは、大通りと直角になった横町に屋台を出すからだった。

表通りには屋台店は出ないが、絨毯や額縁など比較的上物屋のならぶ京橋寄り東側に、ちょっと間をおいて一軒だけ、京橋のたもとに焼鳥屋が出た。ここは焼鳥と称する焼とん屋（むかしはね、鶏の方が豚肉より高くて上物《じょうもの》だったんです）ではなく、鶏の臓物《ぞうもつ》ばかり売る。食道や鳥冠《とさか》も食えるので、会社の待遇がトサカに来て飲み歩いているサラリ氏や、ゲテモノ通が集まった。もっとも鳥冠はクレート・ド・コックといって高級なフランス料理にも使われる。宴会に出す大型の鶏は主《おも》に牝鶏で、牡鶏もシャポンといって去勢したのを使うが、オスの特徴が賞美されるのは、この部分ぐらいなものだろう。

ちょっと飛んで京橋交差点から鍛冶橋にむかう右側にも、すこし屋台が出て、その中に「ニャガニャガ軒」というのがあった。テント張の中はメニュや能書を、やたらに書きなぐった厚紙のカンバスで充満し、まるで墨汁で描いた店で、長髪口髭のちょっとデヴィッド・ニヴンに似た男が、汗だくでフライパンを振廻していた。画家くずれの素人商法だという。ちょっと客がたてこむと、メロメロになってやってるところが、おかしい。やはり臓物専門だが、焼とんではなく、レバー・ステーキなど洋食になってるのが味噌だった。

屋台店のストリート・シーンの最大のものは、浅草広小路だったが、いまはもう、まぼろしの夜景である。孤立した曳売《ひきうり》の屋台も――棚にのせた豆ランプの灯が夜風にゆらめく風情など――すでに見られない。あれはパリはじめ西欧の都市にも(屋台のスープ屋など)あったし、ロンドンなら、その灯が濃霧の中にぽつりと見え、若い女を狙って切裂きジャックがさまよう夜の点景だった。

庶民性とは……

大都市の生活が次第に、そしてほしいままに爛熟してゆく過渡期の姿、特にその街頭風景は、バルザック、ディッケンズ、ユウゴオなどの、それに当時、世界最大の都市だった江戸末期の文芸にも、よく描出されている。ルイ王朝時代からパリ市民の生活は条令がきびしかった。十九世紀には大規模な都市計画もやったが、制約され頭を圧えられても市民の街頭生活は複雑な階層別に、かなり恣意な発展を見た。戦前のパリには、早朝の街頭で飲ませる当時の日本金で五厘のコーヒーから、一流レストランの二円のコーヒーまであったが、そういうものが日々の哀歓とかかわりなく複雑な庶民の生活の型をつくって来たのは事実である。

グレアム・グリーンあたりから出ているのかも知れないが、エンターテインメントという言葉がよく使われる。だが、エンターテインメントは庶民性の裏付なしには考えられない。推理小説の問題でも、ブームのときに、たくさん出て、たくさん読まれたのは、このジャンルのファンが急に増えたわけではなく、ほかに適当な読物がないから、みんなが読んだので、読者に特別な意識があったのではなかろう。ガボリオーの「ルルージュ事件」という後家さん殺しの物語は、読物新聞の連載小説（ロマン・フイユトン）として生れ、庶民の嗜好に合った。だから従来の人情小説の色彩が濃く、純粋の推理小説とはいえない、というような文芸史家の論理は、実際にはナンセンスだ。

よけいなプロット、よけいな描写。ガストン・ルルーでさえ三文小説的といわれる。だが、カアの「三つの棺」の怪奇伝説的要素や、クイーンの「Xの悲劇」の大都市の下町とドルリイ・レーン的環境のパラドクサルな対比。そういうものなしに、ああいう作品が充分な重量を持ちえたろうか。そして、この二作を推理小説でないとは誰もいわないだろう。

いま推理小説を読んでいるたくさんの人は、「ルルージュ」やコリンズの「白衣の女」の読者とどれほど違っているだろうか。進歩してないという意味ではない。読む心理や読み方にたいした変りはないだろうというのだ。読者は推理小説的に推理小説を読むのではなく、自分の好きなように読んでいる。この自然な傾向を変えさせるほどの説得力は、誰にもない……といったことを、この頃、私はときどき考えさせられる。

霊魂よ、どこへ行く

幽霊株はさがらない

むし暑い夏がくると、テレビの深夜番組で心霊研究家や、空飛ぶ円盤を見たり宇宙人と交信したという人たちが、活躍しだす。幽霊もまだ宇宙人なみの人気はあるらしい。いや、たぶんこっちの方が支持者の数は多いだろう。霊魂の存在を信じる人は、信じない人よりも多いようだから。この人がと思うような人が幽霊宗の場合が、かなりある。こないだも科学者の某さんと話をしていたら、「人間みたいに高等な動物が死んで、何も残らないとは考えられない」と、某さんがいった。まさか経帷子《きようかたびら》に三角の布をひたいにつけた幽霊は認めないだろうが、この人のように霊魂の不滅を信じる人には、私もしばしば出会っている。死霊まで行かなくても、テレパシーなどの形で、霊魂の独立性を証明しようとする人もいる。

「疑問の黒枠」の作者、小酒井不木氏（医博）は、有名な、佐久間艇長の潜水艇遭難のとき、佐久間氏の家族に霊感があったことを書いている。有名といっても、明治四十四年に起きた古い話だから、若い人はあまり知らないだろう。第六潜水艇長、佐久間勉《つとむ》＊1海軍大尉が山口県新湊沖で潜航訓練中に殉職した事件で、大尉は死ぬまで海底で報告を書綴っていたことがわかり、賞讃の的になった。ところが艇長の家族は、公報がはいる前に、わかるはずのないこの悲劇を知っていたのである。

人が死ぬとき、遠くにいる肉親やつれあい、友人などに何かの形で、自分が死んだことを知らせるという。お古いついでに、日露戦争のとき、第三軍司令官だった乃木大将の幕舎へ、戦死した息子の将校が訪ねてくる場面を、子供のころ芝居で見たことがあるが、ネタは乃木さんの経験にもとづいているのか、それとも創作か。戦陣のテントへ亡霊という着想は、シェークスピアの「ジュリアス・シーザー」にもあり、とにかく悽愴で感動的な場面だから、類話は過去にかなりある。

これと似た話で日中戦争の、クリークが出てくるから、たぶん中支作戦のとき、実話として新聞報道されたのがあった。報道員にその話をした兵隊は、その日いっしょに討伐（当時の用語）に出た兵の中で、仲のいい戦友が一人だけ帰っていないのに気がついた。捜索に出たが死体も見つからない。心配しながら、クリークのへりに建つ兵舎に戻って寝てしまうと、しばらくして、おいおいと揺起す者がある。見ると、心配していた男だから、なんだ、お前、無事だったのかと、喜んで腕をつかもうとすると、もう姿が見えない。眼がさめて夢かとさとり、さびしくなって外に出てみると、折から月の澄みきった秋の夜更けで、鏡のようなクリークの水面に、どこから流れて来たのか戦友の死体がぽっかり浮いていた……。

死者が幽霊になって自分の死を知らせに行ったり、夢枕に立ったりした例は、もちろん、そうたくさんはないはずだ。が、虫の知らせ、とか、それがもうすこし、はっきりした「鳥影がさす」などの経験を持ってる、という人は無数にいるに違いない。鳥影がさす、というのは、ばさっというような音がして、障子に飛ぶ鳥の影がうつる。それが遠くにいる人の死の瞬間に起こるのだそうで、小酒井さんも、たしか尊族の死の際に、そういう経験をしたことを書いている。私の義兄も彼の父の死に関して、同じような話をしていた。もっとも、この方は私が子供のころ、タロホンと綽名で呼んでいた千葉の田舎おやじで、何か意外なことを聞くと、「たら、ほんと！」という口癖が、私には、そう聞こえたからだが、鳥影になることなんか忘れて死んじまいそうな爺さんだった。が、霊魂ともなれば、また話は違うのかも知れない。

＊1　正しくは四十三年

霊魂はゴマンといる

霊感師というのは、職業としてはきわめて古いが、最近はテレビ・タレント兼業の若い女性などがやるので、イメージ・チェンジのつもりで考案したらしい新語である。念射の写真撮影ということをやって、私たちには見分けられないが、かれらが見ると、無数の霊が写っているらしい。つまり、かれらにいわせると、私たちがいる空間は同時に死者の霊魂で埋っているのである。なるほど霊魂が独存するとすれば、人類は百万年以上も前から地上に住んでいたのだから、死者はどのくらいの数になっているかわからないし、霊魂ラッシュは増大するばかりだ。

ところで自分の立場を明らかにしておくと、私には霊魂独存説は考えられない。従って、怪談じみた話を書くくせに、幽霊の実在を考えたことはないのである。こういう面では科学的なセコイ考え方をするほうで、つまり考えられないことは信じないのだ。が、仏教哲学の、この私たちの生存さえ、実体のない現象に過ぎない、という般《ち》若《え》の洞察によれば、現象は多角的に複雑なものだから、幽霊を見たという人を否定もできない。もっとも印度哲学では、前に話した六趣輪廻《ろくしゅりんね》ということがあるので、人間だけが死んで幽霊になって、まごまごしてる権利はないわけだ。生きているうちから餓鬼に憑《つ》かれたりするほど、輪廻の転変はいそがしい。

この話は懐奘《えじよう》の「正法眼蔵随聞記《しようぼうげんぞうずいもんき》」に、師、道元禅師の法話のひとつとして収録されているが、仏照《ぶつしよう》禅師の弟子の坊さんが病気になって、肉を食べたがった。仏教の飲《おん》食戒《じきかい》では肉食はいましめてある。だが、禅では戒律をあまり、やかましくいわないし、そこは臨機応変で、禅師は許して食わせた。ある晩、病室に行ってみると、うす暗い灯火の下で、その坊さんがまた肉を食っている。ところが、坊さんの頭の上に鬼が一匹のっかっていて、自分で肉を口に入れているつもりでも、実際は鬼が食ってしまう。そこで病気の坊さんが肉を好むのは鬼が憑いているからだとわかって、それからは肉食を許したという。つまり餓鬼に肉を与えたのである。

死の連繫

とにかく、クリークの死体のような事件を、やはり偶然と考えては、いけないのだろうか。それも素晴しい偶然である。たいがいのことは一応、偶然で理由がつく。偶然にも、もっと大きな必然の裏打ちはあって、偶然を必然に帰納するのは推理の力だ。推理小説でも少々チョロイが、それをやっている。だが、推理の立入れないところまで理由を求めるのも人情で、特に死の問題などは、ふだんは碌に考えもしないくせに、いざとなると、とりわけ、ゆゆしく取扱いたがる。何によらず因縁（原因と結果）はあるから、死にも因縁はあるのだろう。仏教でいう因縁に従って生きている者には、「臨済録」など読んでもわかるように、むしろ死をなんでもない必然のことと受取る。だが、もっと割切れない神秘的な理由や、運命というものには特殊な力が潜んでいるといった考えに、一般の人は魅力を感じるらしい。また実際に、そういう志向を刺戟するような現象がある。

戦前戦後に探偵小説の三大家といわれた江戸川乱歩、大下宇陀児、木々高太郎の三氏は、お互いねんごろな友人だったが、最年長の乱歩さんから順々に、みんな申しあわせたように七十三歳で亡くなっている。これなども考えれば、ふしぎな気がしないでもない。

テレパシーの方も、私は、しかも最近、ひとつ実例を知った。ホテル・ニュー・オータニの料理長で晩年、重役をしていたKと、高輪プリンス・ホテルの料理長Wとが、同時に病気が重くなって、別々に入院し、あい前後して亡くなった。Kは戦前、京橋中央亭の料理長で、Wは女房役の二番。私の若い頃、ここに中央亭各店の調理部員のほとんど全部が集まって、料理専門フランス語の講義をやったとき、この二人は世話役をつとめてくれた。その後も二人の先輩後輩のつきあいは死ぬまで続いた。

去年、私は知らせを受けてK君の葬式に行った。そのとき聞いた話では、死のすこし前に、Kは家人にいったそうである。「おい、Wがお別れのあいさつに来たよ」――この話を私にした人は、K君の側のことしか知らなかったが、あとで高輪プリンス側の人から、W君の方にも同じようなことがあったと聞いて、すこしおどろいた。Wも亡くなる前に家人にいったのだ。「いま、おやじさん（K先輩のこと）が見えたが、どうも長くないようだね」高輪側の人は、K君の方のことは知らなかった。つまり、この相互告知は、両方の関係者に、しばらくは片側の話だけしか知られていなかったらしい。霊異を信じるか信じないかは、ともかくとして、世間の動きよりも人間の生き方のほうが、深いものを持っているのは事実のようだ。

人の生きるはホルモンのみに拠るにあらず

死ぬ話ばかりで恐縮だが、先ごろ有名なホルモン学者が亡くなった。八十、九十までは何もしないで生きられる。だが、百二十、百三十まで生きるには、ホルモンの助けを借りなければならない、というのが、この人の研究の主眼だったようだ。その研究はどの程度まで進んでいたか、実際、八十歳代の博士はまだ若々しく元気だったから、期待していた人も多かったろう。残念ながら九十歳で亡くなってしまった。最近まで学会の会長をしていたというから、そういうことも多少は早死《はやじに》（?）の原因になっているかとも思うが、これは臆測にすぎない。

明治二〜三十年頃までの日本人の平均寿命は、四十歳代だったという。むかしの日本の男は四十歳になると役職を退いて、隠居した。だが、退官後、宮中の式典や有識故実の書などを著したり、仏門にはいったりして長生きした人の例も、たくさん記録されているから、むかしの人がみな早死したわけではない。厄《やく》払いの文句に「三浦の大《おう》介、百八ツ、浦島太郎は三千歳」というのがある。浦島は竜宮にいて、この仙郷の一年がシャバの千年に当るというわけで、これはお話だが、平安末期の武将、三浦義明の方は八十八歳で戦死しているから、無事でいたら、あと二十年ぐらいは生きたかも知れない。

この頃は老人病の研究がさかんになり、ヴィタミンの効用、食事のバランスの必要といった考えが普及している。だが、飛躍的な長寿の原因は実際には、どんなところにあるのかわからない。長野県で百十何歳まで生きた貧しい農婦は、一生ろくな物も食わず、子供や孫を育てるのに苦労し続けたと、自分でいっていた。真乗院の盛親僧《じょうしんそう》都《ず》という坊さんはいもがしらが好きで、師匠の遺産を全部、いもに変えて食ってしまった。ほかのものは食わないのだ。病気になると、良質のいもを取寄せて、ふだんより余分に食う。すると癒ってしまう。大食で勝手気ままだが、宗では最優秀の僧として重んじ尊ばれたという。「徒然草《つれづれぐさ》」に出ているから、うそじゃあないだろう。こういう生き方もあるのである。

怪談・東と西

夏場の怪談

年の暮に大雑誌の婦人記者が原稿をたのみに来た。なんでもいい、というから、怪談でもいいか、ときいたら、ぴしッとやられた。

「先生、まだ三月号ですよ!」

怪談の特集はお盆の月、七月にきまっている、というわけだ。これは十数年前の話なのだが、この慣習は、その後ちっとも変ってない。遊園地で、お化け大会をやりだすと、テレビでも、納涼番組の怪奇シリーズが、はじまる。長期のスリラー・アクションものが、暑中だけは取ってつけたような怪談をやる。洋画の女吸血鬼みたいなかっこうをした女が、ほとんど例外なく出て来て、それが、どういうわけか必ず亭主に殺された妻君の亡霊、でなければ、復讐のために扮装をこらしている妻君の妹かなんかである。こういう、お岩さま以来の型を踏まないと、怪談または怪談趣味と認めないらしい。ラジオは、まだましだが、それでも私は、ワン・クール分ぐらい録音《おとしいれ》までして、お倉になったことがある。総体にオドロオドロしくなかったせいだろう。

夏場の怪談は江戸以降の歌舞伎や寄席の興行プランを、そのまま踏襲しているのだと思うが、芝居小舎にも寄席にも、まだ冷房なんかなくて、畳が敷いてあった頃の、むし暑い東京などには、ふさわしい企画だった。「四谷怪談」の髪すき場の蚊帳とか、蛇山庵室の蚊やり火とか、夏の風物が、たくみに織りこまれている。明代の瞿佑《くゆう》の「剪《せん》灯新話」から浅井了意が訳出した「牡丹灯記」を、三遊亭円朝がさらに翻案して「牡丹灯籠」となると、季節とは関係ない供養灯が、やはり夏の景物の灯籠として利用されている。

興行物だけでなく戦前は、新聞の都内版にも、炎暑の頃には必ずといっていいほど、何区何町何丁目何番地のナニナニ質店の庫に幽霊が出る、といった探訪記が載ったものだ。下町に住んでいた頃、私の家から一軒おいたうしろの家に、女の幽霊が出るといって評判になったことがある。夏は横町に白麻ののれんをひるがえしていた小料理屋で、たしか亭主の浮気の結果、かみさんが濠割《ほりわり》に飛びこんで死に、その幽霊が……といったうわさだった。

実はこれも誤伝で、それに似たことがあったのは、すぐ裏の家の二階を借りていた夫婦者の方だが、当時、料理屋は営業不振で商売をやめ、あき家になっていたから、とにかく幽霊が出るには持ってこいだったわけだ。日が暮れると横町は、ヤジ馬で大にぎわい。私は等身大の幽霊人形をこしらえて、二階から突然ぶらさげてやろうと企画したが、材料をそろえるのが面倒《めんどう》なので、水をぶっかけて我慢した。

冬の夜ばなし

ところが外国では、十二月に怪談を書いても、別に文句をいわれない。日本の幽霊は薄着だから、冬のさなかに出て来たら風邪を引くかも知れないが、海外ではそうでもない。中国では死者を葬るとき、寿衣といって、何枚も重ね着させる。ハムレットの父王の霊など、北海《ノース・シー》の霧に巻かれて高い城壁の上にあらわれるのは、寒がりでない証拠である。

そういえば恐怖に悪寒《おかん》がともなうことは彼我共通で、「背すじも凍るおもい」とか「肌《はだえ》に粟を生じる」などの表現があるが、むこうの怪談にも、部屋や家全体が氷に閉ざされたように寒くなる、という物すごい描写がよくある。スコットランドの民話の中でも特にこわい、夜なかに揺籠に寝ている赤ん坊が、急に光り出して、眼もくらむように光輝く話なども、室内の空気のすさまじい冷却をともなう。ラヴクラフトなどは、そういう実感を持っていたのではないだろうか。「襟もとから水をかけられたような……」などは、夏の怪談の狙いどころだろうが、日本でも、「北越雪譜」の雪女郎ほどになると、これはひどい寒さの恐怖を語る冬の話題と考えた方がいい。

怪談といっても、幽霊ばなしだけではないが、私達の祖先も夏の縁台ばかりでなく、炉をかこんで夜ふかしするときにも、幻怪な話題に興じたようだ。むかし庚申待《こうしん》ちということをやった。庚申風邪《かぜ》という言葉があるくらいで、これは冬の夜の行事である。道教の思想に三尸《さんし》というものがあるが、人間の腹の中には三匹の虫が住んでいて、その人が犯した誰も知らない、わずかな罪までも、よく知っている。庚申の晩に人が眠っているうちに、こいつが天に昇って天帝に密告するのだ。そうすると寿命が短くなる、というわけだから、この晩は眠るわけにはいかない。そこで青面《しようめん》金剛や猿田彦をまつった前に集まって、眠気ざましに四方《よも》山ばなしをしながら、夜をあかすことになった。

落語の「庚申待ち」、いまは「宿屋の仇討」なんて題でやるようだが、そこで次々に出る話が、みんな、あなたもご存じだと思う「坊主、坊主、山のいも」だの、「女むじな食って（氏《うじ》なくして、の地口）玉の輿《こし》に乗る」なんてサゲのついた怪談である。長い夜をあかすのだから、近隣のうわさぐらいでは間《ま》が持たない。趣向のある話が必要になる。どんな話題が好まれたかは、この落語でも想像がつくはずである。

ガトー・ビュッシュ

欧米の文明国は日本の中心部よりも、緯度がずっと北に寄っている。夏の晩は白夜といって、暮れきらないところが多いので、幽霊や化け物は出にくいのか、怪談はむしろ農閑期の、炉辺の団欒《だんらん》の話題であるようだ。クリスマスや新年はこの時期にはいる。

カトリック教国では、クリスマス（フランスではノエル）関係の宗教行事が年末から、次の年初にかけてあり、そのあと極寒の時期から早春にかけて、断食節食の期間が長く続き、復活祭《イースター》に至る。実際は古い農耕民族の、耐乏の冬に備え、太陽神の帰還を待って春を迎える生活慣習から来た年中行事が、衣替えをしたものに過ぎないともいえるのだ。

フランスのクリスマス・ケーキは、ふつうのデコレーション・ケーキではない。特定の生地を使うが、わかりやすくいえば、カステラを薄く焼いて筒形に巻き、表面をクリームで木の皮の状態にデコり、枝の切口をつけたりして、つまり薪《まき》ざっぽうに似せてつくるガトー・ド・ビュッシュ（薪菓子）という。ボンボンや宝石などでも、薪の形をした容器に入れて贈ったりする。これはフランス人の祖先の、最初のクリスマス・プレゼントが、薪だったのを、忘れないための風習なのだ。もちろん自分の子供にやるのではない。彼岸のおはぎ（この風習も、すっかりすたれたが）のように、隣人同士お互いに贈りっこする、越冬のための心やりである。子供には、むしろ日本式に新年のお年玉が、むこうにもあった。

クリスマスの鳥のローストや、プラム・プディングの話は前に書いたが、だいたいクリスマスの食べ物というのは、日本の食摘と同じで、前もってたくさん作っておき、祝日には主婦が台所の労働を休む、という趣旨である。早くいえば、立食のバンケットを用意するようなものだ。フランスなどでは特に、ブーダン・ノワール（黒腸詰）という、豚の血の腸詰をつくる。豚の血を採って、かたまらないように赤ぶどう酒を混ぜておき、これを豚の腸管に詰めて、数珠つなぎにくくり、長さ二メートルも三メートルもあるのを、大釜でゆでる。材料が血だから、煮ると甘味が強くなるが、これを出さないと、クリスマスらしくならない。

クリスマス・ストーリー

血の腸詰などというと、なんとなく怪談めくが、むこうではクリスマスやニューイヤーズ・イヴのような、一年をしめくくる節季のお祝いの日でも、平気で怪談の材料や、殺人物語の舞台にする。ヨーロッパにも夏の怪異譚はある。シェクスピアの「真夏の夜の夢」などもそうだが、湿地の狐火は、むこうでも幻想的にあつかわれるし、ひきがえるが笛を吹いたり、狐や狸なみに人を化かしたりする。だが、どっちかというと陽気な、エロチックな話が多い。ほんとうに物すごいのは、どうも寒い時期の話の方にあるようだ。

アマデウス・ホフマンの「黄金宝壺」は、聖シルヴェストルの夜（大晦日）の怪談だが、新年の前夜には魔の障《さわ》りがある、という俗信が、むこうにはあるので、あまりおめでたくないどころか、不吉な話がよくある。この晩の十二時ジャストに死ぬと、翌年中、死神の馬車の御者をつとめて、死んだ者の魂を拾い集めてまわらねばならないという、スエーデンのセルマ・ラゲルロフ女史の小説は、北欧の伝説にもとづいたものだろう。

クリスマス・イヴも怪談のネタに事欠かない。クリスマスのミサは夜の十二時にはじまる。いわゆる深夜のミサで、そのミサに出席した若者が、ふと自分の周囲に気がつくと、死者ばかりが集まっていた、というアナトール・フランスの短篇「影のミサ」。

クリスマス・ストーリーというのは、本来は子供の宗教教育のためのお話で、主として聖書物語。この日のお話では、新らしい星を見つけた三人の学者王が、馬小屋で生れた救世主に、みつぎ物をささげに行く物語が主体になっている（この学者王の祭日は、一月六日にあって、エピファニーといい、この日には「王たちの菓子《ガトー・デ・ロワ》」といって、そら豆を一粒、中に入れたパイのような物をつくる）。

だが、ここでいうクリスマス・ストーリーは、クリスマス週間むきの大人の読み物だ。ただ聖書物語の方も、奇蹟か、奇蹟を想わせるワンダーな展開が、ポイントになっているので、その点は共通している、といえるかも知れない。この類の元祖みたいな、ディッケンズの「クリスマス・キャロル」に、すでに幽霊が出てくるのは、ご存じのはずだが、その後、日本人の私まで書いているくらいで、欧米の作家には、クリスマス物はたくさんある。コリアやブラッドベリにもあるし、幻怪な話が、たっぷり拾えるはずだ。

いわゆる本格物では、クリスティーの長篇「エルキュール・ポアロのクリスマス」。ドイルの短篇「青い紅玉《ルビー》」の話は、前にしたが、短篇では新旧ともに、まだあるはずだから、あなたも夜長のつれづれに、ご自分で調べて、読返してみてはいかが。

食べ物の行きつくところ

落とし紙の経済学

例のトイレット・ペーパー異変[*2]は象徴的な事件だった。便所の落とし紙が、ふいに店頭から姿を消して家庭の主婦を不安におとしいれた。通産省の指示で、やっと出まわるようになったと思ったら、どさくさまぎれに適正価格がつりあげられ固定化してしまった。砂糖、醤油など、いわゆる生活必需物資が、みな右へならえで、あッという間の早業である。実は、いまはじまったことではないのだが、日本経済の構造を、もっとも卑近な例で見せつけられた感じだった。落とし紙が国会で論議の争点になったことも、たぶん、はじめてだろう。ものが落とし紙だけに、この尻ぬぐいは、いったい誰がするのか、と思ったものだ。

トイレット・ペーパーは英語で、ちり紙、落とし紙のことだが、いまの日本では廻転式の巻紙状のものに限って、いっているようだ。これが使われだしたのは戦前、水洗便所が普及してからだと思う。吸入孔が詰まってしまわないように、一定の用紙にきめたのである。むかしオワイヤサンが天秤棒で肥桶をかついで、路地に黄色い水をこぼしながら、やって来た頃には、あの物悲しいにおいのする灰色の粗紙、浅草紙を使おうと、新聞でお尻を拭こうと、かまわなかった。大正の中頃までは近在の農家が肥料にするために、舟に肥桶を積んで汲取りに来た。オワイは農耕の必需物だったから、屑屋さん並みに些少の代金をおいて行ったものだ。（ほんとの話ですぞ！）それがタダになり、手数料をとるようになり、手数料が切符制になり、いまの東京では、また無料に戻った。天秤棒が現行の都営のヴァキューム・カー、童言葉《わらべ》でいう「うんこブーブー」に変っても、用紙まで、うるさくはいわなかったが、最近は水洗式でなくても、トイレット・ペーパーを使わないと、文句をいわれるそうだ。その理由はどういうことなのか、便器の力学に暗い私には、よくわからないが、とにかくトイレット・ペーパーは一段と権威を持ったわけで、その払底が主婦たちを混乱させたのも無理はなかろう。

落とし紙は故紙でつくる再生紙かと思っていたら、二重になった上質のものなどは、

＊2　一九七三年の第四次中東戦争に伴うオイルショックの余波で、紙が生産されなくなるという誤った不安により、一般消費者が買い占めに狂奔したため商品が払底した。

パルプから製造するのだという。スーパーなどで安く買えたので、うちでも使っていたが、そうとわかると、もったいない気がして来た。いったい落とし紙が使われだしたのは、いつ頃からか。そんなに古いことでないのは、たしかだ。縄を張っておいて、その上をまたいで通るとか、豚になめさせるなどというのには、真偽半《なかば》するものがあるだろう。中国の禅僧は人を罵るのに、よく「この糞かき箆《べら》め！」などという。宋代の禅書によく出てくるから、「水滸伝」の豪傑たちも、箆を使っていたことが想像される。

便器の構造学

食事の終りというと、フランス料理などではデザートが出る頃のことだが、生理的にはそれから消化吸収がはじまって、残渣の排泄に到る。食事を社会生活と見れば、その排泄物の後始末が真の終結ということになるだろう。

いつだったか山田風太郎さんに、パリではその始末をどうしているのか、きかれたことがある。彼はいろんなことに興味を持つ男で、たしか「レ・ミゼラブル」を読んでるうちに、それが気になった、とかいう話だった。もっとも、レ・ミゼラブルとパリ人の糞便とりあつかいと、直接関係があるとは思えないが、そこまで環境に徹した読書ができるとは、さすがである。私もよく知らないが、やはり、むかしは桶に汲んで近郊に運び、藁などにかけて堆肥をつくったらしい。いまは水洗で地下溝に落とし、数カ所の汚水処理場を通してセーヌに流す。都市生活の発展過程は、どこでも同じようなものだ。

便所の構造の発達も、まったく同じである。地面に穴を掘って、その上に板を二枚わたし、これにまたがって用を足すのが原型。田舎へ行けば肥甕の上に板をわたし、そこに小さな小屋掛けしたのが、いまでもある。東京などでは腰掛式のが、いま流行しているが、あれも西洋の田舎の、水洗式以前のものは、一部に床を張ったり箱状のものをつくったりして、上に丸い穴をあけただけで、葱くさいにおいが便所にこもっていた。王朝時代の宮廷の便所などにしても、便器は華美につくってあったろうが、その下は広く開放的だったらしい。貴婦人の登廁を下からのぞいて、あるものの長さの品さだめをしたり、レズ（レスビエンヌ）が重なったまま便器にはまり込んで、もがいても脱けだせなかったというような艶笑譚を、ブラントームは書いている。

田舎の便所が、いつまでも原始的な形式を保っていたのは、排泄の便よりも汲取りの便を重く見たからだ。たいがい、そのそばに大きな肥溜があって、肥甕がいっぱいになると、そっちへ移す。大溜にも簡単な蔽いしかしてないのは、下肥《しもごい》が枯れて使い頃になると、そこから肥桶に汲出して畑へ担いでゆく、その便利を考えてである。ずいぶんきたない話をする、と思うかも知れないが、私にも一、二年、田舎暮らしの経験があるが、農村で暮してみると、下肥というものは、それ程きたない感じがしなくなる。それは非常に大事にされているからで、貴重なものだということがわかってくる。便所が住居の一部になったのは、町が発展して、大勢の人が手狭なところに住むようになってからだろうが、やはり水洗以前には汲取りの便を考えて、家の外側につけた。本来は家屋の外に別に設けたのだ。

漢語の廁《し》（广まだれがほんとう。厂がんだれは俗字）を分解すると、广は家で則は側、つまり別棟のことで、日本語のかわやも同じ意味である。中国や台湾の農家では、家屋の裏が戸外の仕事場になっていて、そこに電話ボックスぐらいの戸もない小屋が建ち、中に、きれいに洗った肥桶がひとつおいてある。溜まれば桶を取替えて、そのまま畑に持って行けるわけで、合理的なものだ。戦後の日本は、化成肥料が普及したし、いまの農村人口では下肥だけでは、とても間に合わないだろうから、農家の便所も母屋に取入れられたりしているだろう。が、それも今後、どうなることやら。科学文明が危機に瀕し、終末的な食糧難も免れないといわれる昨今である。

都会でも、いまに水洗便所が廃止されて、臭きよき時代の汲取式に戻り、ヴァキューム・カーが拡声器をつけて、やって来て、「ご近所のみなさま、[*3]毎度おさわがせいたします。おなじみの回収屋がまいりました。うんこ、しょうべん、ゲロなど、多少でも溜っておりましたら、栄養素と交換いたします……」などといって、マッチ箱大の顆粒状蛋白質の紙包みでも、おいてゆくようになるかも知れない。

便所怪談

便所で死ぬ人は案外、多いらしい。その割に便所が推理小説に出てくる例は多くない。場所が場所だけに殺人現場などには威厳が足りないのかも知れない。ちり紙の厚《あつ》重《がさ》ねを水に濡らしたのを顔にかぶせて窒息させる手口は、むかしの講談などにも出てくるが、トイレット・ペーパーでは凄味がきかないだろうか。そのかわり手拭きを使った例はある。ホテルなどの便所では近頃は、ぞろぞろ式（この言葉がわからなかったら落語を研究すること）のティッシュ・ペーパーや、赤外線を使うが、むかしは厚手の綿布をたがにしたのが、さげてあった。これをはずして絞殺に用い、またもと通

*3　家庭内の古新聞・古雑誌を回収して、ちり紙と交換する業者の営業車がちり紙交換車と呼ばれていた。そのアナウンスに同じ録音テープが使い回されたため、全国民の耳になじんでしまった。

りに吊るしておく。凶器に何を使ったかちょっとわからない。ポオの「盗まれた手紙」のウイットをもじったのが、古い探偵小説にある。便所を用いて秀抜なのは、江戸川乱歩の「陰獣」に出てくる吾妻橋の下の、一銭蒸気の浮桟橋だ。若い読者はご存じないかも知れないが、戦前の隅田川を登り降りしていたポンポン蒸気の船着場で、端の方にちょっと囲いをした便所、といっても床板を四角く切抜いてあるだけだが、すぐ下を大川の水が流れている。主人公がそこにしゃがんで、もし、ここに生首でも流れて来たらと空想し、ぞっとしていると、その四角い枠の中に、ほんとうに生首が、ぽっかりあらわれる。いかにも乱歩さんらしい趣向である。

だが、こんな目星い例は、ほかにはないようだ。そのかわり便所は怪談の方には、たいそう縁がある。ゼウス神話に似た三輪伝説の中にも出てくるくらいだから（丹塗《にぬり》矢《や》の話）民話的な怪談には多い。子供はよく夜、便所に行くのをこわがる。古い温泉宿の薄暗い灯のともった廊下の奥にある便所など、環境的なこわさだが、構造からくるこわさもある。地方都市の遊廓などで、ばかでかい女郎屋の建物の二階にある便所。はいってみると、金かくしの下は一階を突きぬけて深い空洞になっている。落っこちたら、ひとたまりもない。ゾッとした記憶がある。だが、便所の怪談は、どっちかというと単純なのが多いようだ。用便していると、下から細い毛むくじゃらの腕が、ぬッと伸びて来て肛門をくすぐる……といった話を、むかしの大人は真剣な顔で子供にした。これが民話になると、むじなの仕業にされたりする。

欧米にも便所の怪談があるかどうか、私はあまり例を思いだせないのだが、ドイツにこんな実話がある。便所のドアをあけて、はいろうとしたら、先に自分自身がはいって用便していた。これはドッペルゲンゲル（日本でいえば離魂病）の一例として集録されている話だ。

ところで、女の子に聞かせると、きゃッという、毛むくじゃらの手の方は、私も経験したことがあるので、最後にその話をしよう。戦争中、台湾の南端の高地にある四重渓温泉にいた時のことで、そこは杜丹社の蕃社が頂上にある山の登り口になっている。温泉宿は丘の中腹を這うように建っていた。山ふところの静かな保養地で、熱帯だが冬の雨期でかなり寒かった。便所はゆったりして立派だった。はじめて使ったのは着いた日の深夜だ。無気味な環境ではないが、灯火管制中なので、廊下を爪先さぐりに進む。勘をたよりに大の方の戸をあけてしゃがみこみ、脱糞の快を味う。そこまではよかったが、そのうち、ふと気がつくと、細いなめらかな指が肛門をくすぐっている。ぎょっとしながら、私はポケットをさぐってマッチを取出した。なんのことはない、便器に蓋がしてあったのを知らずに、やっちゃったわけで、堆積の尖端が上下から圧迫され、ソフトクリームを絞り出した時みたいに、くるくるとよじれていたのである。

単行本版（『味覚幻想』）あとがき

この本は早川ミステリ・マガジンに二年三カ月にわたり、「ミステリ食事学」の通しタイトルで連載したエッセー——といっても、かなり気ままな——を多少、順序配列を変えてまとめたものだ。連載では一回の枚数が少くて説明が行届かず、つい暗示的な書き方になる。それで暗示にしても連想に便利なように大きな項目をつくってみた。連載の時は第一回が新年号だったから、その前年末の天皇御渡欧の話題からはじめ、最後の二十七回は糞尿譚と話が落ちたところで、これは本の場合にも全体の下げになっている。

表題も変えた。「ミステリ食事学」は、わかりやすいように「ミステリー文学とガストロノミー」として副題においた。しかし、ガストロノミーって何だ……という質問が出るかも知れない。何気なく使っていた言葉が、ふと考えると意味や適用範囲も何かはっきりしなくなることがある。ガストロノミーも定着しない言葉のひとつだろう。念のためフランスの辞書をひいてみると、「うまいものを作り、よい食物を味わい分ける技術。現代ではキャヤルノンスキーやポール・ルブーなどの作家が、十九世紀にベルシューやブリヤ・サヴァランが著わしたようなガストロノミー文学を、また流行させた」と書いてある。だが、この説明だと、食通というのと、たいして違いがない。だから日本の辞書には美食法、食道楽などと訳されているわけだが、現代のガストロノミーは、もっと違う意味を持って来ている。「美食のプリンス」と呼ばれたユーモア作家キュルノンスキーは食通の元締で、食生活の理想を追究した人だが、現代のウアロみたいな雑書家のルブーは、やや造反的で、第二次大戦後、衛生学の立場からフランスの製パン技術の現況に食いついたりした。かれらの背後には、ただの洗練だけでない、いろいろ違った角度からの開拓を試みた専門の学者や技術者がいて、現代のガストロノミーを、食物や料理の自然科学的、歴史的、社会的な綜合研究にしている。

ミステリー文学という言葉も、やや曖昧かも知れないが、これは推理小説を中心とする文芸と、いわないでもわかるH・Mの読者を対象に書き出したものなので、従ってその方面に通暁しない人には耳馴れない名前が飛出してくるかも知れないが、この本を機縁にそっちにも興味を持って頂いて損はないとお願いしておく。
終りに連載を企画したH・M・M前編集者太田博君、その後継者菅野圀彦君、そして本にしてくれた牧神社の菅原貴緒、大泉史世さん達のお骨折に感謝する。

一九七四年夏、著者

現代教養文庫版あとがき

この本の中身は大部分、早川ミステリー・マガジンに二年三カ月にわたり「ミステリー食事学」の通しタイトルで連載した、のんきなエッセーである。連載の第一回が新年号だったから、その前年末の天皇御渡欧の話題からはじめた。だが雑誌連載は一回の枚数が少なく説明が行届かず、つい暗示的な書き方になる。それで、これをまとめて単行本として出版するとき（七四年、牧神社出版）、連想に便利なように、順序を変え、大きな項目に括ってみた。ただし最終回は糞尿譚で話が落ちる。それで本にするときも、そこを下げにして終りに据えた。今度は余所に書いたものを加え、内容は増したが、やはり、そのときの順序をだいたい追って編集した。

単行本では表題も変えて「味覚幻想」とし、「ミステリー食事学」を分解して「ミステリー文学とガストロノミー」として副題においた。だが、ガストロノミーも何となくむずかしい、日本ではまだ定着しない言葉のひとつである。フランスの辞書には「うまいものをつくり、よい食物を味わい分ける技術。現代ではキュルノンスキーやポール・ルブーなどの作家が、十九世紀にベルシューやブリヤ・サヴァランが著わしたようなガストロノミー文学を、また流行させた」と説明している。だが、これでは料理とか食通とかいう範囲を出ていない。だから日本の辞書には美食法、食道楽などと訳されているわけだが、現代のガストロノミーは、もうすこし違う意味を持って来ている。

「美食のプリンス」と呼ばれたユーモア作家キュルノンスキーは食通の元締で、食生活の理想を追究した人だが、現代のウアロみたいな雑書家のルブーは、やや造反的で、第二次大戦後、衛生学の立場からフランスの製パン技術の現況に食いついたりした。かれらの背後には、いろいろな角度から開拓を試みた専門の学者や技術者がいて、現代のガストロノミーを食物や料理の自然科学的、民族学的、社会史的な総合研究にしている。ミステリー文学という言葉も、まだ定着していない。ただ、今度の本でも、その両方の世界が嚙み合わさるあたりを、筆者があっちへ行ったり、こっちへ来たりしていることは事実である。

とにかく新保博久さんや私の畏友渡辺啓助氏令嬢の美術家渡辺東さん、社会思想社の浦田伸二郎さんたちの協力で、この本が装いを新たに文庫入りしたことは喜ばしい。

著者

解説

新保博久

「最初に海鼠《なまこ》を食った男は英雄だ」と、いう説がある。思いつきは愉快だが、これは飛んでもない間違いで、原始人は、食えるものなら、なんでも食った。……ニョゴニョゴうごめいているのを、手づかみでかじって、イケルご馳走だと喜んだに違いない。

――本書（171ページ）より

いかにも推理作家らしく論理的で、卓見というべきだろう。太古より人類は、食べられそうなものは何でも試してみて、口に合うものが食べ物として現在まで残っているにすぎないはずだ。

ナマコ男＝英雄説を日影丈吉に吹き込んだのは、二歳年上でアテネ・フランセで同窓だった坂口安吾かも知れない。『安吾新日本地理』の「安吾・伊勢神宮にゆく」（一九五一年）には、「ナマコだのコンニャクを最初に食った人間は相当の英雄豪傑に相違ない」とある。こうした意見を披瀝《ひれき》したのは、安吾が日本文学史上初なのではなく、漱石『吾輩は猫である』第九章（〇六年）で苦沙弥《くしゃみ》先生に未知の人物が送りつけてきた手紙の一節に、「始めて海鼠を食い出《いだ》せる人は其《その》胆力に於《おい》て敬すべく、始めて河豚《ふぐ》を喫《きつ》せる漢《おとこ》は其勇気に於て重んずべし」という。この意見の後半には私も異論があって、こう唱えたくなる。

「二人目にフグを食った者こそ勇者だ」

『ミステリー食事学』の大半を占めるエッセイは、早川書房の『ミステリマガジン』（略称ＨＭＭ）と音詰まり表記する誌名に倣《なら》って「ミステリ食事学」の題で、一九七二年一月号から七四年三月号まで全二十七回、連載された。

書き下ろし推理長篇『多角形』（一九六五年）をいったん最後として、原稿依頼が激減して新作は十年以上ほとんど発表されなくなり、七四年の後半以降まず旧作が纏《まと》められたところから急激に再評価が始まるまでは一種の空白期間であった。あるいは日影丈吉という筆名が古風に映り、過去の作家という誤解を与えたのかも知れない。当時の太田博（のちの各務三郎）編集長は、忘れられかけていたマイナー・ポエットを、巻頭の二色ページの連載になぜ抜擢したのか。『はじめて話すけど……　小森収インタビュー集』（二〇〇二年、フリースタイル刊→創元推理文庫）の各務三郎篇「ミステリがオシャレだったころ」でも直接的には触れられていないものの、ここかしこにヒントが見出される。
「（ミステリを）面白がるための資質というものが、読者には必要とされる。トリックがどうのとか、ミステリの世界はそんな狭いもんじゃなくて、もっと、いろいろな楽しみ方ができるはずだと、ずっと思っていた。ミステリの背景にあるものをピックアップしながら、それについて（エッセイなどで）書いていれば、ミステリの楽しみ方も増えるじゃないですか」（要旨）
そのテーマの一つが料理だった。「元々、料理のことを書いた本は好きだった」という各務氏だから、一方で小林信彦にはオヨヨ大統領シリーズで『大統領の晩餐』を書かせている。日影氏が小説家開店休業中に刊行した『フランス料理の秘密』（七一年）も各務氏は愛読していたという。
日影氏によると、「この人は料理に趣味があって、おくさんより上手だと自称している」、「こないだは、はじめて本式に、ブレーズド・ビーフを作ってみたといっていた」そうだ。いま引用した「ミステリ食事学21／異常な心理、異常な食べ物」（七三年九月号。目次などでは20と誤植）の回は『フランス料理の秘密』で冒したミスの弁明が半分を占め、「脳味噌のフライ」の項が「悪魔の饗宴」の章に取り込まれただけで、あとは単行本には入っていない。

連載が完結したころ、東大仏文科を卒業して編集業だった大泉史世さん（二〇二二年死去）に、『ミステリマガジン』を愛読していた母堂が、何年分も溜まっていたバックナンバーを処分するため紐で括ってくれるよう頼んだそうだ。娘さんのほうは推理小説よりも幻想小説ファンで同誌には関心が薄かったものの、日影連載は気にかかったというのは、幻想小説好きの同志の匂いを嗅いだのかも知れない。雑誌を処分する手を停め、勤め先である幻想出版のリトルプレス牧神社に諮《はか》ったところ賛同を得て、「ミステリ食事学」は『味覚幻想――ミステリー文学とガストロノミー』の題名で一九七四年八月に刊行された。（参考：大泉史世「日影丈吉と牧神社」、国書刊行会〈日影丈吉全集6〉月報2、二〇〇二年十一月）

『味覚幻想』では構成もかなり練りなおされて、冒頭の「女と毒薬」は連載第五回に書かれたものだし、第一回だった「推理小説の本場」は第四部に置かれている。間をおかず、一九七四年十月から翌年二月まで毎月、正月だけ休んで〈日影丈吉未刊短篇集成〉全四巻が同じ牧神社から出版されたのは、『味覚幻想』の好評を受けて、というより単行本に纏まっていない短篇が相当あるという話が、エッセイ集の打ち合わせと並行して出ていたのだろう。この四巻本により評価は確立し、やがて長篇を含む新作も発表されるようになる。

江戸川乱歩をして「ほとんど完璧の作品」と言わしめたデビュー作「かむなぎうた」(一九四九年)や、同じく「技巧のうまさに対して」「心にくき作品」と絶賛された「吉備津の釜」(五九年)といった日影短篇の代表作さえ、何度かアンソロジーなどに再録されたにせよ、個人の作品集に収められることなく四半世紀眠っていたのには驚かされよう(この二篇ながら現在、河出文庫版『日影丈吉傑作館』に収録)。そして〈未刊短篇集成〉第一巻『暗黒回帰』は泉鏡花文学賞の有力候補となったが、収録作品が旧作ばかりであるため次の作品を待とうと見送られ、雪辱は十五年後に短篇集『泥汽車』(八九年)により果たされる。翌年に迫っていた逝去の前にどうにか間に合ったものだ。

晩年も没後も幻想小説家としての評価はいや増し、二〇〇五年には、翻訳を除く全著作に未収録作品を大幅に補った大部の〈日影丈吉全集〉全八巻+別巻一が完結している。もし「ミステリ食事学」の掲載誌が棄てられていたら、のちの日影作品再評価は別な形であり得たとしても、泉鏡花賞も、完璧に近い全集もなかったかも知れない。

そういう経緯は別にしても、「ミステリ食事学」に「喫茶風俗」を加えた『味覚幻想』をさらにボリュームアップ、連載題名に近い『ミステリー食事学』と改題して一九八一年六月、現代教養文庫に収録された本書は、すこぶる楽しい本である。シャーロック・ホームズやメグレ警視、エルキュール・ポアロら名探偵の活躍譚に登場する料理の紹介・レシピにそれぞれ終始した本は日本でも出ている。ミステリ・ガイド本も、作家の美食エッセイも数多くあるが、ミステリ作家の手になると限定すれば、ほかに阿刀田高『食卓はいつもミステリー』、陳舜臣と妻による『美味方丈記』、東理夫《ひがしみちお》『トマトの味噌汁』ぐらいしか思い浮かばない。怪奇小説なども含めたミステリ全般を広く渉猟し、料理や食物との関わりを滋味豊かに語ったエッセイは、本書が刊行後半世紀を経て、なお追随を許さないと言っていい。

これには著者の日影丈吉が、世界でも類のないユニークな作風のミステリ作家であると同時に、東京日本橋の魚問屋の主人を父にもち、学生時代はアテネ・フランセでフランス語はじめ外国語に親しみ、レストランやホテルのコックに料理書のフランス語を教えてきた経歴が与《あずか》っている。推理作家としてユニークだというのは、推理やトリック、ハードボイルドなど特定の傾向に耽溺《たんでき》することなく（そういった作品も書いてはいるのだが）、多様な要素の〝接点〟に立つ作家であったからである。

デビュー作「かむなぎうた」からして、推理が述べられても主人公の少年が病中、熱に浮かされて妄想しただけだとも、実際に犯罪があったとも決められない結末を迎える。推理小説とも幻想小説とも受け取れよう。また「吉備津の釜」のように、怪談的な作中作が主人公を取り巻く現実を侵食してくる作品も多いが、そうしたジャンルを異にする〝接点〟に、日影作品は蜃気楼さながら物語の映像を結ぶ。

『真赤な子犬』『内部の真実』（ともに一九五九年）はじめ長篇十六冊、ハイカラ右京らシリーズ・キャラクターの活躍する連作短篇集四冊、『恐怖博物誌』などその他の短篇集が生前刊行された八冊に没後の単行本が一冊、『黄色い部屋の秘密』『オペラ座の怪人』『メグレと老婦人』、またヒッチコックが映画『めまい』の原作に採用した『死者の中から』や現代暗黒小説を含むフランス・ミステリの翻訳十冊、国産法廷ミステリとフランス怪奇小説で編著二冊のほか、エッセイが数冊ある。料理随筆は「折りにふれて書く程度なので、まとまった原稿が」少ない（七八年、KK・ロングセラーズ刊『ふらんす味遍歴』著者後記）だけに、『フランス料理の秘密』『ふらんす味遍歴』と内容を重複させて増減したのを経て、徳間文庫で刊行された『ふらんす料理への招待』（八五年）を一応定本と見なせば、本書『ミステリー食事学』、『名探偵 WHO'S WHO』（七七年）、『荘子の知恵』（九〇年）とで計四冊になる。ミステリや名探偵はお家芸としても、フランス料理と中国思想と、一見かけ離れたテーマにそれぞれ一家言があるのに驚く。

「モダンにして土俗的、駘蕩としていながら繊細、日常的でありながら幻想的……。日影丈吉の作品にあっては本来なら相反するはずのものが何食わぬ顔をして同居し、読者をして、その断絶にすら気がつかせない」と、山田正紀が先輩作家を讃仰《さんぎょう》の眼で見ている（「まれなる宝石」、〈日影丈吉全集1〉月報1、二〇〇二年九月）ように、日影丈吉の筆は小説でもエッセイでも、異質なものの〝接点〟でアクロバットが演じられるとき最も冴えわたると言っていい。ミステリと料理との〝接点〟に立つ本書が、日影エッセイのなかでも白眉《はくび》となっているのは、それゆえにほかならない。

（しんぽ・ひろひさ　ミステリ評論家）

兄のトランク　宮沢清六

兄・宮沢賢治の生と死をそのかたわらでみつめ、兄の死後も烈しい空襲や散佚から遺稿類を守りぬいてきた実弟が綴る、初のエッセイ集。

春夏秋冬　料理王国　北大路魯山人

一流の書家、画家、陶芸家にして、希代の美食家でもあった魯山人が、生涯にわたり追い求めて会得した料理と食の奥義を語り尽す。（山田和）

日本ぶらりぶらり　山下清

坊主頭に半ズボン、リュックを背負い日本各地の旅に出た〝裸の大将〟が見聞きするものは不思議なことばかり。スケッチ多数。（壽岳章子）

のんのんばあとオレ　水木しげる

「のんのんばあ」といっしょにお化けや妖怪の住む世界をさまよっていたあの頃――漫画家・水木しげるの、とてもおかしな少年記。（井村君江）

ねぼけ人生〈新装版〉　水木しげる

戦争で片腕を喪失、紙芝居・貸本漫画の時代と、波瀾万丈の人生を、楽天的に生きぬいてきた水木しげるの、面白くも哀しい半生記。（呉智英）

老いの生きかた　鶴見俊輔編

限られた時間の中で、いかに充実した人生を過ごすかを探る十八篇の名文。来るべき日にむけて考えるヒントになるエッセイ集。

老人力　赤瀬川原平

20世紀末、日本中を脱力させた名著『老人力』と『老人力②』が、あわせて文庫に！　ぼけ、ヨイヨイ、もうろくに潜むパワーがここに結集する。

東京骨灰紀行　小沢信男

両国、谷中、千住……アスファルトの下、累々と埋もれる無数の骨灰をめぐり、忘れられた江戸・東京の記憶を掘り起こす鎮魂行。（黒川創）

向田邦子との二十年　久世光彦

あの人は、あり過ぎるくらいあった始末におえない胸の中のものを誰にだって、一言も口にしない人だった。時を共有した二人の世界。（新井信）

東海林さだおアンソロジー
人間は哀れである　東海林さだお　平松洋子編

世の中にはびこるズルの壁、はっきりしない往生際……抱腹絶倒のあとに東海林流のペーソスが心に沁みてくる。平松洋子が選ぶ23の傑作エッセイ。

杉浦日向子ベスト・エッセイ　杉浦日向子

初期の単行本未収録作品から、若き晩年、自らの生と死を見つめた名篇までを、多彩な活躍をした人生の軌跡を辿るように集めた、最良のコレクション。

お江戸暮らし　杉浦日向子

江戸にすんなり遊べる幸せ。漫画、エッセイ、語りと江戸の魅力を多角的に語り続けた杉浦日向子の作品群から、精選して贈る、最良の江戸の入口。

向田邦子シナリオ集　向田邦子　向田和子編

いまも人々の胸に残る向田邦子のドラマ。「隣りの女」「七人の刑事」など、テレビ史上に残る名作、知られざる傑作をセレクト収録する。（平松洋子）

甘い蜜の部屋　森茉莉

天使の美貌、無意識の媚態。薔薇の蜜で男たちを溺れ死なせていく少女モイラと父親の濃密な愛の部屋。稀有なロマネスク。（矢川澄子）

貧乏サヴァラン　森茉莉　早川暢子編

オムレット、ボルドオ風茸料理、野菜の牛酪煮……。食いしん坊茉莉は料理自慢。香り豊かな〝茉莉ことば〟で綴られる垂涎の食エッセイ。文庫オリジナル。

紅茶と薔薇の日々　森茉莉　早川茉莉編

天皇陛下のお菓子に洋食店の味、庭に実る木苺……森鷗外の娘にして無類の食いしん坊、森茉莉が描く懐かしく愛おしい美味の世界。（辛酸なめ子）

遊覧日記　武田百合子　武田花・写真

行きたい所へ行きたい時に、つれづれに出かけてゆく。一人で。または二人で。あちらこちらを遊覧しながら綴ったエッセイ集。（巌谷國士）

ことばの食卓　武田百合子　野中ユリ・画

なにげない日常の光景やキャラメル、枇杷など、食べものに関する昔の記憶と思い出を感性豊かな文章で綴ったエッセイ集。（種村季弘）

クラクラ日記　坂口三千代

戦後文壇を華やかに彩った無頼派の雄・坂口安吾との、嵐のような生活を妻の座から愛と悲しみをもって描く回想記。巻末エッセイ＝松本清張

妹たちへ　矢川澄子ベスト・エッセイ　矢川澄子　早川茉莉編

澁澤龍彥の最初の夫人であり、孤高の感性と自由な知性の持ち主であった矢川澄子。その作品に様々な角度から光をあて織り上げる珠玉のアンソロジー。

わたしは驢馬に乗って下着をうりにゆきたい　鴨居羊子

新聞記者から下着デザイナーへ。斬新で夢のある下着を世に送り出し、下着ブームを巻き起こした女性起業家の悲喜こもごも。（近代ナリコ）

遠い朝の本たち　須賀敦子

一人の少女が成長する過程で出会い、愛しんだ文学作品の数々を、記憶に深く残る人びとの想い出とともに描くエッセイ。（末盛千枝子）

神も仏もありませぬ　佐野洋子

還暦……もう人生おりたかった。でも春のきざしの蕗の薹に感動する自分がいる。意味なく生きても人は幸せなのだ。第3回小林秀雄賞受賞。（長嶋康郎）

私はそうは思わない　佐野洋子

佐野洋子は過激だ。ふつうの人が思うようには思わない。大胆で意表をついたまっすぐな発言をする。だから読後が気持ちいい。（群ようこ）

色を奏でる　志村ふくみ・文　井上隆雄・写真

色と糸と織――それぞれに思いを深めて織り続ける染織家にして人間国宝の著者の、エッセイと鮮かな写真が織りなす豊醇な世界。オールカラー。

老いの楽しみ　沢村貞子

八十歳を過ぎ、女優引退を決めた著者が、日々の思いを綴る。齢にさからわず、「なみ」に、気楽に、と過ごす時間に楽しみを見出す。（山崎洋子）

おいしいおはなし　高峰秀子編

向田邦子、幸田文、山田風太郎……著名人23人の美味な思い出。文学や芸術にも造詣が深かった往年の大女優・高峰秀子が厳選した珠玉のアンソロジー。

パンツの面目ふんどしの沽券　米原万里

キリストの下着はパンツか腰巻か？　幼い日にめばえた疑問を手がかりに、人類史上の謎に挑んだ、抱腹絶倒&禁断のエッセイ。（井上章一）

新版 いっぱしの女　氷室冴子

時を経てなお生きる言葉のひとつひとつが、呼吸を楽にしてくれる――。大人気小説家・氷室冴子の名作エッセイ、待望の復刊！（町田そのこ）

真似のできない女たち　山崎まどか

彼女たちの真似はできない、しかし決して「他人」でもない。シンガー、作家、デザイナー、女優……唯一無二で炎のような女性たちの人生を追う。

日本の村・海をひらいた人々　宮本常一
民俗学者宮本常一が、日本の山村と海、それぞれに暮らす人々の、生活の知恵と工夫をまとめた貴重な記録。フィールドワークの原点。（松山巖）

広島第二県女二年西組　関千枝子
8月6日、級友たちは勤労動員先で被爆した。突然に逝った39名それぞれの足跡をたどり、彼女らの生を鮮やかに切り取った鎮魂の書。（山中恒）

誘拐　本田靖春
戦後最大の誘拐事件。残された被害者家族の絶望、犯人を生んだ貧困、刑事達の執念を描くノンフィクションの金字塔！（佐野眞一）

責任　ラバウルの将軍今村均　角田房子
ラバウルの軍司令官・今村均。軍部内の複雑な関係、戦地、そして戦犯としての服役。戦争の時代を生きた人間の苦悩を描き出す。（保阪正康）

田中清玄自伝　田中清玄　大須賀瑞夫
戦前は武装共産党の指導者、戦後は国際石油戦争に関わるなど、激動の昭和を侍の末裔として多彩な人脈を操りながら駆け抜けた男の「夢と真実」。

戦場体験者　保阪正康
終戦から70年が過ぎ、戦地を体験した人々が少なくなる中、戦場の記録と記憶をどう受け継ぎ歴史に刻んでゆくのか。力作ノンフィクション。（清水潔）

東京の戦争　吉村昭
東京初空襲の米軍機に遭遇した話、寄席に通った話。少年の目に映った戦時下・戦後の庶民生活を活き活きと描く珠玉の回想記。（小林信彦）

私たちはどこから来て、どこへ行くのか　森達也
自称「圧倒的文系」の著者が、第一線の科学者に「いのち」の根源を尋ねて回る。科学者たちの真摯な応答に息を吞む、傑作科学ノンフィクション。

富岡日記　和田英
ついに世界遺産登録。明治政府の威信を懸けた官営模範器械製糸場たる富岡製糸場。その工女となった「武士の娘」の貴重な記録。（斎藤美奈子／今井幹夫）

ブルースだってただの唄　藤本和子
アメリカで黒人女性はどのように差別と闘い、生きてきたか。名翻訳者が女性達のもとへ出かけ、耳をすまして聞く。新たに一篇を増補。（斎藤真理子）

ちくま文庫

ミステリー食事学《しょくじがく》

二〇二四年三月十日　第一刷発行

著　者　日影丈吉（ひかげ・じょうきち）
発行者　喜入冬子
発行所　株式会社　筑摩書房
東京都台東区蔵前二―五―三　〒一一一―八七五五
電話番号　〇三―五六八七―二六〇一（代表）
装幀者　安野光雅
印刷所　中央精版印刷株式会社
製本所　中央精版印刷株式会社

ISBN978-4-480-43941-3 C0195